SPY ROOM

code name

몽어

스파이 교실 04

《몽어》의 티아

스파이 교실 04

《몽어》의 티아

저자 타케마치
일러스트 토마리

SPY ROOM

the room is a specialized institution of mission impossible
code name yumegatari

011 프롤로그 보라개미①
019 1장 결집
071 막간 보라개미②
075 2장 개전
123 3장 영웅
167 막간 보라개미③
173 4장 궁지
209 막간 보라개미④
219 5장 지배와 교섭
265 에필로그 보스와 졸업
288 후기

CONTENTS

프롤로그 보라개미①

“거미 군, 인간이 가장 『인간다움』을 발휘하는 행동이 뭐라고 생각하나요?”

무자이아 합중국— 세계 최대의 경제국이다.

앞선 세계 대전에는 직접 참가하지 않고 동맹국에 무기와 식량을 공급하는 데 전념한 나라다. 대전이 장기화되면서 크게 비약하여, 여전히 많은 나라에 세계 대전의 상흔이 남아 있는 가운데 세계 경제를 굴리는 대국으로 성장했다.

이제는 합중국이 세계의 중심이었다.

합중국 서부의 도시 미타리오에는 고층 빌딩이 늘어서 있었고 사람들은 이 세상의 봄을 만끽하듯 걸어 다녔다. 텔레비전 방송이 시작되어 사람들은 스포츠 바에서 야구 중계에 환호성을 질렀다. 젊은이들은 지하철을 갈아타 뮤직홀에 가고, 상류층 사람들은 50층이 넘는 높은 빌딩에서 열리는 흑백 영화 시사회에 모였다.

그 도시에 색다른 남자가 두 명 있었다.

미타리오의 중심에 있는 웨스트포트 빌딩의 전망대. 47층에 만들어진 관광객용 전망대였다. 영업시간은 한참 전에 지나서 두 사람의 모습밖에 없었다.

고층 빌딩이 늘어선 야경을 보며 「흐에~」 하고 얼빠진 환호성을 지르는 머시룸 헤어의 남자가 한 명. 고급 정장을 입고 있지만, 표표한 얼굴과 버섯으로만 보이는 헤어스타일 때문에 시원찮은 인상을 줬다.

—가르가드 제국의 스파이 『흰거미』였다.

그리고 그의 옆에 산뜻하게 생긴 남성이 한 명 더 서 있었다.

남자는 인간이 인간다움을 발휘하는 행동이 뭐냐고 질문한 후 잠시 침묵하다가 이내 답을 말하기 시작했다.

"그건 바로 유언을 남기는 거예요. 사후 세계를 상상하는 것, 마음을 말로 남기는 것, 그건 사람이라는 생물만이 가진 능력이에요."

"하아~ 엄청난 빌딩숲이야."

"……거미 군, 내 얘기 듣고 있나요?"

"이야~ 나도 처음 와 봤어. 부럽다. 보라개미 형은 항상 이런 도시에서—."

뭔가가 흰거미의 뺨을 스쳤다.

파지직 소리가 나며, 반응이 늦은 흰거미의 자랑스러운 머리카락을 태웠다.

흰거미는 바닥에 엉덩방아를 찧고 비명을 질렀다.

"잠깐만! 하마터면 감전사할 뻔했어!"

"변함없이 당신의 반응은 조무래기 같네요."

『보라개미』라고 불린 남자가 전기 충격기를 들고서 말했다.

"내 얘기를 안 들은 거미 군 잘못이에요. 세 번 죽어야 해요."

온화한 분위기를 지닌 남성이었다. 유아 학교의 교원이나 간호사가 어울릴 것 같다는 생각이 들 만큼 자상하게 생겼다. 흰거미와 달리 남색 더블 수트를 근사하게 차려입고 멋진 모자를 쓰고 있었다. 긴 앞머리 사이로 선을 그은 듯한 실눈이 보였다.

보라개미— 그도 가르가드 제국의 스파이였다.

흰거미와 마찬가지로 스파이팀 『뱀』의 일원으로서 전 세계에서 암약하고 있었다.

"보라개미 형의 얘기는 길단 말이야."

흰거미는 반성하는 기색도 없이 일어나 옷을 털었다.

"뭐, 좋아. 형, 임무야."

"임무? 어라, 그렇게 멋없는 얘기를 하러 온 건가요."

"스파이한테 임무가 왜 멋없는 얘기야?"

"친형 같은 존재가 그리워서 만나러 온 줄 알았는데."

"그럴 리가 없잖아."

흰거미는 머리를 긁적이고서 창문으로 아래를 보았다.

"다음 달부터 반년간 이 웨스트포트 빌딩에서 톨파 경제 회의가 열려. 훌륭한 이름이 붙었지만, 요지는 연합국 측의 기업과 관료가 벌이는 이권 싸움이야. 대전 이후 엉망진창인 톨파 대륙을 연합국끼리 어떻게 나눠 먹을지 조정하는 거지."

보라개미는 「구역질이 나네요」 하고 중얼거렸다.

톨파 대륙은 선진국의 식민지 지배가 진행된 지역이었다. 예전에는 가르가드 제국의 식민지도 존재했지만, 패전하며 내놓았고 연합국의 손에 넘어갔다. 대전으로부터 10년이 지났는데 여전히 톨파 대륙의 지배권을 둘러싸고 연합국끼리 으르렁대고 있는 모양이다.

그리고 이권을 둘러싸고서 장기 회의가 열린다. ―톨파 대륙의 나라들을 무시하고서.

보라개미는 한숨을 쉬었다.

"그 회의를 제국에 이롭도록 조종하라는 건가요?"

"아니, 그건 내가 할 거야. 형한테는 다른 의뢰야."

흰거미가 시선을 보냈다.

"이 회의에는 전 세계에서 스파이가 모여. 펜드 연방 CIM에서는 팀 『레티아스』 전원이, 뮤마루 왕국에서는 틀림없이 『아카자 자매』 『카게다네(影種)』가 오겠지. 무자이아 합중국의 방첩 기관 JJJ의 정예도 있을 거야. 『기린(麒麟)』과 『영귀(靈龜)』는 주의해야 해. 정체불명의 스파이 『앵화(櫻華)』도 이런 중요한 회의에 얼굴을 내비치지 않을 리가 없어. 각국의 올스타야."

흰거미는 입가를 비틀었다.

"―전부 죽여."

"뒤숭숭한 얘기네요."

보라개미는 손으로 목덜미를 문질렀다.

지금은 전 세계에서 스파이가 암약하는 시대다. 세계의 추세를 결정할 장기 회의에 얼마나 많은 스파이가 참가할까. 무자이아 합중국의 방첩 기관도 포함하면 천 명은 넘을 것이다.

거슬리는 존재를 일찌감치 없애라는 냉혹한 지시였다.

“심지어 살육이라니 멋이 없어요. 죽이지 않고 조종하는 게 스파이의 본분이잖아요?”

“형은 안 죽이는 거 못하잖아?”

“…….”

“맡길게. 그 녀석도 온다는 것 같아. ―딘 공화국 대외정보실의 기대주 『화톳불』.”

그렇군요, 하고 보라개미는 고개를 끄덕였다.

가르가드 제국에 오랫동안 쓴맛을 보여 준 공화국도 참전한다고 한다. 시골 국가면서 세계의 향방이 걸린 국면에 반드시 얼굴을 내미는 존재였다. 그리고 그 나라에서 근래 희대의 괴물이라고 소문난 남자가 『화톳불』이다.

보라개미는 웃으며 오른손에 든 전기 충격기를 휘둘렀다.

으악! 한심한 비명을 지르며 흰거미가 맞기 직전에 피했다.

“맥락 없이 전기 충격기를 휘두르지 말라니까!”

“말투가 건방져서 말이죠. 세 번 죽어야 해요.”

“……아니, 말투는 평범했던 것 같은데?”

“내 기준으로는 건방졌어요.”

보라개미는 흰거미의 얼굴 앞에서 전기 충격기를 으스러뜨렸다.

“걱정할 필요 없어요. ―이 미타리오에서 나는 왕이니까.”

얼굴을 굳힌 흰거미를 향해 보라개미는 미소 지었다.

◇◇◇

“그런 얘기를 한 지 벌써 한 달인가요. 순식간이었어요.”

보라개미는 아지트에서 한숨을 쉬었다.

회원제 바였다. 미타리오에서도 몇 명만 아는 지하에 있었다. 가느다란 바 카운터가 있고, 불빛이 약한 간접 조명이 켜진 조용한 공간이었다.

보라개미는 콜라를 마셨다. 알코올은 즐기지 않았다.

한 달간 그는 암살을 반복했다. 이미 스파이와 비밀경찰 48명을 죽였다. 아무도 눈치채지 못할 수완이었다. 어느 누구도 자신에게 도달하지 못할 터다.

그리고 그는 이날 성과를 또 하나 올렸다.

“아가씨, 술 좀 드시겠어요?”

보라개미는 옆자리에 앉힌 『그녀』에게 말했다.

『그녀』는 괴롭게 신음했다.

“아아, 미안해요.”

보라개미는 고개를 숙였다.

“배에 구멍이 뚫려 있었죠. 레이디에 대한 배려가 부족했네요. 실례했습니다. 저는 페미니스트예요.”

『그녀』는 고통스러운 표정을 지었다. 얼굴에 땀이 송골송골 맺혔고, 흐트러진 머리카락 아래에는 남자를 눈빛으로 쏴 죽일 듯한 증오에 찬 시선이 있었다. 괴롭게 누른 옆구리에서 피가 흐르고 있었다.

"딘 공화국의 스파이죠? 예상보다 훨씬 젊네요. 이름을 여쭤봐도 될까요?"

"……."

"으음, 곤란하네요. 말을 안 할 줄은 몰랐는데."

침음을 흘렸다. 유언을 듣는 것은 그의 라이프워크와 같았다. 죽이지 않고 잡는 일은 드물었다. 아무것도 듣지 않고 죽이는 건 너무 아깝다.

"혹시 도와줄 사람이 오길 기다리고 있나요?"

"……."

"그 사람은 『화톳불』인가요? 아, 동료들은 클라우스라고 부르던가요? 네, 괜찮아요. 그가 와 준다면 저한테도 좋죠."

"……."

"그럼 그를 기다리는 동안 얘기라도 하죠. 당신들이 내게 도전하고 무참히 패배하기까지의 경위를. 하나하나 순서대로 돌아볼까요?"

보라개미는 사로잡힌 『그녀』에게 미소 지었다.

"그러고 나서 맞히겠습니다. —사로잡힌 당신의 이름을."

그것은 일말의 희망도 없는 절망의 **이름 맞히기**.

그럼 당신들이 이 나라에 찾아온 경위부터, 하고 보라개미는 말을 이었다.

1장 결집

세계는 아픔으로 가득하다—.

세계 대전이라고 불리는 사상 최대의 전쟁이 종결되고 10년. 참상을 목도한 정치가들은 군사력이 아니라 스파이를 이용해 타국을 견제하는 쪽으로 정책의 방향을 돌렸다.

각국은 첩보 기관에 힘을 쏟으며 스파이에 의한 그림자 전쟁을 펼쳤다.

『등불』은 딘 공화국의 스파이팀이다.

그들의 당면 과제는 『뱀』이라고 불리는 정체불명의 첩보 기관을 파헤치는 것이다. 국내 임무를 소화하면서 『뱀』의 정보를 가진 스파이를 포박하는 데 성공한 그들은 무자이아 합중국에 『뱀』이 나타난다는 정보를 얻고 조사에 나서기로 했다.

다가올 결전에 대비해 멤버들은 준비를 시작했다.

이제껏 임무에 임했던 국내나 이웃 나라 가르가드 제국과는 사정이 달랐다. 목적지는 언어도 문화도 크게 다른 합중국. 여권 위조와 가짜 경력 작성, 현지에서 총을 조달할 방법 확인 등 할 일은 수두룩했다.

원래 같았으면 임무에 대한 불안이 겹치며 상당히 우울한 작업이다.

—하지만 멤버들의 사기는 아주 높았다.

◇◇◇

티아가 복도를 걷고 있는데 정원에서 비명이 들렸다.

"피기이이이이이이이이이이이이이이이이이이이이이익!!"

"—응?"

마치 단말마의 비명 같은 소리였다. 죽기 직전에 외치는 무시무시한 절규.

그나저나 『피기이이이이이』라니?

'대, 대체 무슨 일이 일어난 거야……?'

아침, 『등불』의 본거지인 호화로운 저택 아지랑이 팰리스에서 일어난 일이었다.

사건이 발생하여 티아는 고개를 갸웃했다.

반드르르한 흑발과 굴곡이 확실한 몸매가 특징적인 소녀였다. 18세라는 생각이 안 들 만큼 고아한 색향을 지녔다. 코드 네임은 『몽어』.

비명이 들린 안뜰로 가자 두 소녀가 서로를 노려보고 있었다.

"하! 이번 10km 달리기는 내가 이겼네."

"……윽. 체력바보가. 나는 여유롭게 한 번 더 뛸 수 있거든?"

아무래도 러닝 대결을 벌인 모양이다.

"헉…… 그럼 다음은 10km 달리기, 사격, 격투까지 3연전 할까? ……헉, 『등불』 최강이라는 칭호를 내가 받을 때가 왔네."

숨을 몰아쉬면서 의기양양하게 웃은 것은 『백귀』 지비아. 야수처럼 탄탄한 체구와 늠름하고 날카로운 눈이 특징적인 소녀였다.

"고작 한 번 10km 달리기 이긴 거 가지고 나한테 이겼다고 생각하는 거야?"

이에 서늘하게 도발을 받아친 것은 『빙인』 모니카. 개성적인 비대칭 청은발 외에 특징을 제거한 듯한 평범한 체격의 소녀였다.

지비아와 모니카는 안뜰에서 말을 맞부딪치고 있었다.

"10km 달리기만 보자면 내가 더 많이 이겼잖아?"

"엉? 마침 내 컨디션이 안 좋았을 뿐이거든?"

"하! 너치고는 진부한 변명이네."

싸우고 있는 것처럼 보이지만 두 사람의 눈은 투지에 차 있었다.

긴박하지만 산뜻한 배틀이었다.

그럼 아까 그 비명은 누가 지른 걸까—.

"좋아, 릴리. 10km 더 뛰자."

"릴리, 일어나. 쉬지 마."

"피기이이이이이이이이이이익!!"

있었다. 비명의 발생원은 땅에 엎어져 있었다.

그 소녀는 몸을 벌떡 일으키더니 땀범벅인 얼굴로 티아에게 다가왔다.

"티아! 도와줘요! 이대로 있다가는 죽을 거예요!"

『화원』 릴리. 사랑스러운 외모와 풍만한 가슴이 특징적인 은발 소녀였다. 일단 소녀들의 리더이기도 했다.

그녀는 눈물을 흘리며 티아의 허리에 매달렸다.

"죽을 거야! 제가 죽어 버려요! 새벽부터 10km를 얼마나 달렸는지!"

"잠깐! 땀범벅인 채로 달라붙지 마."

"이 땀은 저의 녹아내린 영혼이에요. 악마에게 쥐어짜인 릴리의 영혼즙이에요."

릴리가 이해 못 할 발언을 시작했을 때, 그 양쪽 어깨를 동료들이 붙잡았다.

"소란 피워서 죄송합니다~."

"죄송합니다~."

업자처럼 말하며 지비아와 모니카가 릴리를 끌고 갔다.

"릴리, 훈련을 계속하자. 우리의 일은 체력 승부야."

"싫어요! 제 목표는 좀 더 두뇌를 쓰는 스파이—."

"그런 건 다른 조가 할 일이고. 우리는 몸을 던져야지."

짐짝처럼 연행되는 릴리를 보고 세 사람의 공통점을 떠올렸다.

실행조— 팀의 최전선에서 임무를 성공시키는 『등불』의 실동 부대.

사기는 상당히 높은 듯했다.

티아가 실내로 돌아오자 이번에는 식당에서 목소리가 들렸다. 조금 전의 비명과 달리 화기애애하고 즐거운 목소리였다.

상황을 살폈다.

중앙에서 갈색 머리 소녀가 한 손에 책을 들고 「그럼 100번째 문제임다」 하고 말했다.

사라였다. 코드 네임은 『초원』. 구불구불한 머리카락과 작은 동물 같은 동글동글한 눈이 귀여운 소녀였다. 평소에는 소심한 표정을 짓고 있는데 지금은 명랑한 얼굴이었다.

크흠 헛기침하고서 사라는 목소리를 높였다.

"최후의 난문임다. 미타리오역의 남서쪽에는 47층짜리 웨스트포트 빌딩이 있고, 그 8층에는 옥상 정원이 있습니다. 정원 북단의 벤치에 앉은 타깃을 저격할 수 있는 포인트를 1분 이내에 전부 말해 주세요."

그러자 사라 앞에 앉은 두 소녀가 동시에 움직이기 시작했다.

테이블에 널린 자료를 속독해 나갔다. 두꺼운 책을 몇 권이나 동시에 넘기고 메모지에 필기구로 기입했다.

더 빨리 대답한 사람은 금발 소녀였다.

"다섯 개야! 라이멘트 음악홀. 나이웬 게이트 타워. 그 옆에 건설 중인 빌딩에서도 가능해. 최신 스나이퍼 라이플이라면 미타리오 호텔에서도 가능하고. 잠입할 수만 있다면 예술홀의 관리실에서도 노릴 수 있어!"

『우인』 에르나였다. 투명하게 느껴지는 흰 피부를 가진 인형 같은 아이였다.

그녀는 난문에 답하고서 「흐흥」 하고 자랑스레 가슴을 폈다.

출제자인 사라가 만족스럽게 고개를 끄덕였다.

"역시 대단함다. 정답이—."

"나님, 하나 더 찾았어요!"

회분홍 머리 소녀가 사라의 말에 끼어들었다. 『망아』 아네트. 난잡하게 머리를 묶고 커다란 안대를 쓴 외양은 상당히 기발했다.

"다음 주에는 코펙 서광장에 서커스가 체재해요. 텐트 위에서 노릴 수 있어요!"

"응?!"

에르나가 당황하여 눈을 동그랗게 떴다. 그리고서 허둥지둥 자료를 읽기 시작했다.

"부, 불가능해! 정원까지 높이가 모자라."

"하지만 타깃이 북단 벤치에 있다면 가능해요!"

"서커스 텐트 위에서 저격하는 스나이퍼는 없어!"

"나님, 상식에 얽매이면 안 된다고 생각해요!"

"으, 응?!"

에르나와 아네트가 눈싸움을 벌이기 시작했다. 이대로 있으면 멱살 잡고 싸울 기세였지만—.

사라가 짝짝 손뼉을 쳤다.

"괜찮아요. 둘 다 정답임다. 둘 다 100점 만점임다. 상으로 간식 먹기로 하죠."

그러자 에르나와 아네트는 바로 표정을 풀었다.

「응!」「알겠습니다!」 하고 즐겁게 고개를 끄덕이고서 두 사람은 사이좋게 주방으로 갔다.

그때 사라가 티아의 존재를 처음으로 알아차린 듯 「아」 하고 말했다.

"티아 선배, 보고 있었습까?"

"어, 응…… 대단했어."

"네. 두 사람은 아주 우수함다. 굉장히 어려운 문제였는데 전부 정답을 맞혔습다."

역시 대단했다.

에르나와 아네트는 능력적인 문제가 아니라 대인 능력이 괴멸적으로 결여되어 있어서 양성 학교에서 낙오된 존재였다. 원래부터 이만한 잠재력은 간직하고 있었다.

사라가 부끄러운 듯 어깨를 떨궜다.

"소, 솔직히 저보다 훨씬 믿음직스럽죠…… 슬픔다……."

"아니…… 저 두 사람을 통제하는 네가 가장 대단해."

"……?"

두 사람을 회유하느라 고생했던 티아 입장에서는 존경스러울 뿐이었다.

역시 이 아이들은 셋이 모이면 단숨에 정리되는 것 같다.

특수조— 다양한 특기로 팀을 보조하는 지원 부대.

그녀들도 임무를 앞두고 기운이 넘치는 듯했다.

동료의 모습을 확인하고 티아가 다음으로 향한 곳은 홀이었다.

칠판에 이번 임무지인 미타리오의 지도가 붙어 있었다. 그 지도 위에 세세한 메모가 자석으로 고정되어 있었다.

칠판 앞에는 빨간 머리 소녀가 서 있었다. 사지가 가늘고 마치 유리 세공 같은 아련한 분위기를 풍겼다. 코드 네임 『애랑』, 그레테였다.

「동료들의 모습을 보고 왔어」 하고 티아가 말했다.

"다들 사기가 매우 높아. 문제가 너무 없어서 곤란할 정도야."

"……아주 좋네요. 고맙습니다. 모두의 심리 상태를 확인하는 데는 티아 씨가 가장 적절하니까요."

그레테는 차분한 목소리로 말하며 미소 지었다.

그녀가 티아의 파트너였다.

정보조— 작전을 세우고 지휘하는 후방 부대. 티아와 그레테가 맡은 역할이었다.

"아주 느낌이 좋아. 신기할 정도로 의욕이 넘쳐."

"그야 그렇겠죠. ……오랜만에 전원이 모였으니까요."

티아는 고개를 끄덕였다.

여덟 명이 모였다— 그게 사기가 높은 이유이리라. 생물 병기 탈환 임무를 끝내고 팀은 둘로 나뉘어 행동했었다. 가혹한 임무와 트러블이 이어지며, 따로 행동 중인 동료를 수없이 그리워했었다. 멤버 전원이 모두 그랬던 모양이다.

그리고 다음 임무에는 『뱀』이라는 섬뜩한 상대가 얽혀 있다.

『등불』의 전신인 『화염』을 괴멸시킨 의문의 기관—.

미지의 강적을 상대로 투쟁심과 긴장감이 알맞게 블렌딩되어 있었다.

팀의 상태는 틀림없이 좋았다.

'그래…… 다들 의욕이 가득해. 단 한 사람을 제외하고—.'

티아는 가슴에 가시가 박힌 듯한 아픔을 느꼈다.

"—티아 씨?"

그러자 그레테가 이름을 불렀다.

퍼뜩 정신을 차렸다. 이야기를 안 듣고 있었다.

"어? 뭐라고? 미안, 그레테. 잠깐 멍하니 있었어."

"……괜찮으신가요? 요 며칠 컨디션이 안 좋은 것 같은데…… 조금 쉬시는 게 좋겠어요."

"아, 아냐. 괜찮아. 아무렇지도 않아."

"무리하지 마세요……. 이번 임무는 티아 씨가 지휘하니까……."

그 말에 또 가슴이 따끔거렸다.

—지휘관. 그게 티아에게 맡겨진 역할이었다.

모인 정보를 그레테와 함께 조사하고 동료에게 일을 배정해야 한다. 임무의 성패를 정하는 중대한 책임을 진다.

'하지만 나는—.'

몸이 차갑게 식는 감각이 들었다.

"티아."

그때, 뒤에서 누군가가 티아를 불렀다.

돌아보니 장신 장발의 아름다운 남성이 서 있었다. 『등불』의 보스, 클라우스였다.

"나갈 준비를 해 줘. 너한테 보여 주고 싶은 게 있어."

◇◇◇

클라우스를 따라 티아가 향한 곳은 수도에 있는 행정구였다.

역과 가까운 곳에 내각부와 외무부가 늘어서 있었다. 일부 음식점과 은행, 우체국을 제외하면 전부 나라가 관할하는 시설이었다. 딱딱한 분위기를 풍기는 정장 차림의 관료가 바쁘게 오가고 있었다.

행정구의 빌딩숲에는 접점이 없는 부국이 많았다. 어딘가의 하부 조직이리라. 「건설국 도로건설부」「법무부 사법행정부」라고 해도 그다지 와닿지 않았다.

클라우스가 멈춰 선 곳은 「내각부 세계경제연구부」. 작은 3층 빌딩이었다.

얼핏 보기에는 자신들과 무관계한 시설 같았지만—.

"대외정보실이 소유한 건물 중 하나야."

그렇게 말하고 클라우스는 안으로 들어갔다. 접수처에 「444호실에서 만나기로 했어」라고 전하고 열쇠를 받아 조명이 약한 복도를 나아갔다.

대리석 바닥이 또각또각 소리를 냈다.

"저기, 선생님."

티아는 물었다.

"여긴 뭐야? 슬슬 가르쳐 주지 않을래?"

"한마디로 말하자면 감옥이야."

클라우스는 짧게 대답했다.

"대외정보실이 포박한 스파이는 여기 수용돼."

울려 퍼지던 발소리가 변했다. 공동이 있는 듯했다. 클라우스가 일정한 리듬으로 발을 몇 번 구르자 바닥이 어긋나며 비밀 계단이 나타났다.

"너는 만나 둬야 할 것 같아서."

계단을 내려가는 클라우스를 따라 티아도 숨을 삼키고서 발을 내디뎠다. 티아가 지하에 내려가자 어떤 원리인지 출입구가 닫혔다.

내부는 의외로 근대적으로 만들어져 있었다. 창문이 없는 것을 제외하면 평범한 시설과 다름없었다. 와인레드 융단이 깔린 복도가 밝은 조명을 받으며 뻗어 있었다.

독방을 몇 개 지나쳤지만 안은 볼 수 없었다. 때때로 내부에서 흐느낌이나 괴성만이 들렸다.

티아는 저도 모르게 호흡을 멈췄다.

—세계는 아픔으로 가득하다.

옳은지 그른지의 문제가 아니다. 그저 이곳은 잔혹한 세계다.

클라우스는 어떤 방 앞에 멈추더니 주저 없이 잠금을 풀었다. 덜컹, 큰 소리가 울리며 문이 열렸다.

내부는 그야말로 독방이었다. 침대와 변기밖에 없었다.

티아는 유괴당했던 과거가 일순 떠올라서 숨을 삼켰다. 별로 오래 있고 싶지는 않았다.

침대 위에 한 남자가 앉아 있었다.

"안녕, 화톳불. 설마 네 쪽에서 와 줄 줄은 몰랐어."

"어?"

티아는 눈을 크게 떴다.

남자가 누군지 알고 있었다. 불과 얼마 전에 마주했었다. 서로의 목숨을 빼앗는 적으로서.

가르가드 제국의 스파이. 잔인무도한 암살자.

공화국이 붙인 이름은―『시체』.

"만나고 싶었어. 약한 녀석이 왔으면 죽였을 거야."

남자는 툭 튀어나온 눈으로 클라우스를 노려보았다.

원래부터 섬뜩하리만큼 마른 남자였는데, 죄수 생활을 하느라 한층 살이 빠져 있었다. 뼈와 가죽만 남은 것처럼 보일 정도였다.

"『시체』…… 아니, 제국에서 쓰는 이름은『담수』였지."

"롤랜드야."

그는 웃었다.

"앞으로는 그렇게 불러 줘. 그게 익숙해."

"……뭐,『너』로 충분한가."

"매정하네. 죽자고 싸운 상대인데."

남자― 롤랜드가 히죽 웃었다.

기분이 좋아 보이는 상대와는 대조적으로 클라우스의 표정은 딱딱했다.

"너는 이곳 고문관(拷問官)을 두 명이나 반죽음 상태로 만들었어. 의미도 없이."

"구속이 느슨했으니까. 빈틈투성이였어."

롤랜드는 반성하는 기색도 없이 말했다.

"그리고 의미가 없지도 않았어."

"왜?"

"네가 직접 와 줬잖아."

롤랜드가 일어났다. 자신의 손톱을 씹어 그 끝을 단검처럼 뾰족하게 만들었다.

"이봐, 화톳불. 이번에야말로 일대일로 싸우자. 이제 방심은 안 해."

"그럴 시간 없어."

클라우스의 대답은 쌀쌀맞았다.

"아, 그래? 그럼—."

롤랜드가 입꼬리를 올렸다.

"—지금부터 그 여자를 죽이겠어."

그의 몸이 갑자기 떠올랐다. 그렇게 느껴질 만큼 군더더기 없는 도약이었다. 야윈 몸 어디에 그런 근육이 있는 걸까. 그는 벽을 차서 속도를 내 클라우스를 뛰어넘고 티아의 목으로 팔을 뻗었다. 그 속도는 인간의 속도가 아니었다.

뾰족한 손톱이 티아의 경동맥에 닿으려고 했을 때— 롤랜드의 몸이 정지했다.

클라우스의 주먹이 그의 명치에 꽂혀 있었다.

일순 경직된 후, 그의 육체는 굉음과 함께 벽에 처박혔다.

"놀잇거리도 안 되는군."

클라우스가 주먹을 털었다.

티아가 반응할 수 없는 격투가 벌어지고 결판이 난 모양이다. 클라우스의 압승으로.

"롤랜드, 너는 이미 패배했어. 그저 정보를 실토하면 돼."

"윽……."

"『뱀』 중 한 사람은 합중국의 미타리오에 잠복하여 톨파 경제 회의에 관여하고 있어. 틀림없겠지?"

롤랜드는 바닥에서 신음하고 있었다.

이윽고 한심한 목소리가 들렸다.

"……그래, 나는 그걸 돕고 있었어."

"자세한 잠복 장소와 상대의 특징은?"

"몇 번이나 말했을 텐데?"

롤랜드가 이를 악물고 노려보았다.

"나를 밖에 내보내. 그러면 가르쳐 주겠어."

"그렇게 좋은 상황이 너한테 주어질 것 같아?"

클라우스의 눈은 냉철했다.

여전히 고통스러워 보이는 롤랜드는 침을 뱉고서 한숨과 함께 침대에 앉았다. 침대 옆에 놓인 유리잔으로 물을 마셨다. 그 잔이 빌 즈음에 그는 여유를 되찾았다.

"하지만 어쩔 건데? 정보도 없이 덤빌 거야?"

"네가 걱정할 필요는 없어."

"안타깝지만 내게는 고문도 자백제도 안 통해. 그리고 만약 아무 정보도 없이 덤빈다면—."

롤랜드는 비웃듯 입가를 비틀었다.

"너희는 『보라개미』에게 학살당할 거야."

『보라개미』— 그게 미타리오에 숨은 『뱀』의 멤버인 모양이다.

하지만 코드 네임만 알아서는 대책을 세울 수 없다.

클라우스는 이미 알고 있던 내용인지 표정을 바꾸지 않았다. 차가운 눈으로 「같잖은 협박이야」 하고 말했다.

"협박 아니야."

롤랜드는 의기양양했다.

"실제로 네 동료는 『뱀』에게 살해당했잖아? 심장이 도려내진 시체가 너희 나라에 발신인 불명으로 도착했을 테지."

"……."

"예언하겠어. 너는 또 동료를 잃을 거야."

힘 있는 목소리였다. 마치 뒷받침하는 근거가 있는 것처럼.

마음이 현혹되며 불안해졌다. 이야기를 들어 보자고 말하고 싶은 충동이 일었다.

달콤한 유혹이었다. 그게 바로 상대의 목적이라는 걸 알아도.

하지만 클라우스는 동요한 기색을 보이지 않았다.

「이 이상 얘기해도 소용없겠군」 하고 말하고서 발길을 돌렸다.

롤랜드가 짜증스레 혀를 차는 소리가 들렸다.

두 사람의 대화를 신기하게 바라보던 티아도 독방 밖으로 걸음을 옮겼다. 가능하다면 1초라도 빨리 벗어나고 싶은 공간이었다.

"그래, 화톳불. 그럼 대신 하나 가르쳐 줄게."

그러자 뒤에서 낮은 목소리가 났다.

"거기 있는 흑발 꼬맹이는 팀에서 빼는 게 좋아."

"……!"

티아는 저도 모르게 발을 멈췄다.

롤랜드는 조롱하듯 웃고 있었다.

"저번에 나랑 싸웠을 때, 그 녀석은 아무것도 못 했어. 겁에 질려 덜덜 떨면서 도망치기만 했지. 발목을 잡기 전에 내쫓는 게 나아."

몸이 확 뜨거워졌다.

틀림없는 사실이었다. 이전에 그와 대치했을 때, 티아는 그저 떨기만 했었다. 동료인 모니카는 맞서 싸웠음에도 불구하고 완전히 좌절해 버렸다.

지금 당장 달아나고 싶어졌지만—.

"그래. 나도 물어보고 싶은 게 하나 있었어."

클라우스는 여전히 차가운 눈으로 돌아보았다.

"왜 너는 나를 라이벌로 여긴 거지? 너 같은 약자가."

"……윽."

이번엔 롤랜드의 얼굴에 동요가 떠올랐다.

"『운명의 상대』라느니 『생애의 라이벌』이라느니, 창피한 착각이었어. 무슨 헛소문을 믿은 거지? 주제를 알아. —지금 너는 이미 스파이로서 끝났어."

인정사정없이 말하고서 클라우스는 독방을 나갔다.

티아는 떠나면서 롤랜드를 힐끗 보았다.

그는 시뻘건 얼굴로 분한 듯 벽을 치고 있었다.

지하에서 나오니 클라우스가 말했다.

"미안하다."

보기 드문 사과였다.

"임무를 지휘할 너는 정보원과 대면하는 편이 좋겠다고 판단했어. 위험한 일을 당하게 할 생각은 없었고, 저 녀석이 하찮은 도발을 걸어올 줄도 몰랐어."

"아니, 선생님 잘못이 아니야……."

티아가 고개를 가로저었다.

그의 의도는 이해했다. 임무의 발단은 『시체』 롤랜드의 증언이었다. 그 확인에 티아를 데려가 준 배려는 기뻤다.

하지만— 이제 한계였다.

마음이 비명을 지르고 있었다.

"선생님."

뒷모습을 보며 불러 세웠다.

"롤랜드의 말은 사실이야. 나는 겁내기만 했어."

"그런가."

"정말 내가 지휘관이어도 괜찮겠어?"

너무나도 한심한 소리였다. 자각은 있었다. 그래도 묻고 싶었다.

동료의 목숨을 걸고 지시하는— 그런 대역의 책임이 마음을 짓뭉개고 있었다.

어둑한 조명 탓에 클라우스의 표정은 보이지 않았다. 실망한 눈으로 보고 있을까.

가슴을 꾹 누르고서 말했다.

"나는…… 예전에 적 스파이의 도주를 도왔어."

"……."

"알면서 그랬어. 내가 동료에게 지시해서 적을 돕고 말았어."

클라우스는 알고 있었던 것처럼 「그런가」라고 말하며 고개를 끄덕였다.

며칠 전에 일어났던 사건이다.

마틸다— 아네트의 엄마라는 인물과 만났고, 그녀가 적 스파이라고 판명됐을 때, 티아는 그녀의 도주를 돕기로 했다. 반대하는 동료를 설득하고 자신의 정의를 관철했다.

하지만 그건 적의 책략이었을 가능성이 크다.

—『티아 씨, 너무 하찮아요.』

그렇게 비웃던 마틸다의 눈을 잊을 수 없다.

"자각했어……. 나는 적에게 너무 물러."

동경하는 인물의 말이 원인이었다.

『홍로』라고 불리던 스파이가 티아에게 남긴 말이었다.

—『너는, 히어로를 목표로 삼으렴.』

티아가 스파이를 지망한 이유가 지금은 저주처럼 느껴졌다.

자국민을 구하는 스파이를 뛰어넘어 적조차 살리는 히어로. 그 이상이 꿈같은 이야기임을 직시했다. 자신의 물러 터진 사상으로는 동료를 궁지에 몰 뿐이다.

"나는 지휘에 적합하지 않아. 예전처럼 지휘는 선생님이 해야 해."

어떻게 생각해도 짐이 너무 무거웠다.

애초에 첫 불가능 임무 때는 클라우스가 지휘하지 않았던가. 입안과 정보 전달은 소녀들이 담당했으나 최종적인 의사 결정은 그가 맡았었다. 이번에도 그가 하면 된다.

하지만 클라우스는 한숨을 쉬었다.

"그 제안은 받아들일 수 없어."

"어째서……?"

"적의 정보가 너무 적어. 거의 정보가 없는 가운데 모색하며 적을 잡아야 해. 위험을 동반하는 최전선에는 내가 설 필요가 있어."

"……읏."

냉정한 판단에 티아는 아무런 대꾸도 할 수 없었다.

그가 말한 대로 지난번까지는 사전에 적의 정보를 알고 있었다. 적이 클라우스의 스승이거나, 혹은 동포의 희생으로 정보를 얻기도 했다. 대책을 세울 수 있었다.

하지만 이번에는 다르다.

목숨을 내놓고 정보를 얻는 역할을 클라우스 외에 누가 할 수 있을까?

"너무 깊이 고민하지 마."

그가 자상한 목소리로 말했다.

"저번에도 말했듯 멤버의 다름이 조직을 강하게 해. 냉혹함이 팀을 구할 때도 있는가 하면 너의 무른 생각이 팀을 구할 때도 올 거야."

—그때는 언제 와?

—그때까지 얼마나 아파야 해?

—무사태평한 자세 때문에 동료를 잃을지도 모르는데?

어린아이 같은 질문을 던지고 싶어졌다. 하지만 클라우스는 이미 빌딩을 나가 택시를 잡고 있었다. 임무 이야기는 더 이상 할 수 없다.

두 사람이 뒷좌석에 올라타자 택시는 바로 출발했다.

"역에 도착하면 점심이나 같이 먹을까? 기분 전환이라도 하지."

전에 없이 클라우스가 상냥했다.

평소에는 자신에게 차가운 태도를 보이는 일이 많았다. 때로는 혐오조차 드러냈지만, 목소리에서 위로가 느껴졌다.

"선생님…… 나를 위로해 주는 거야?"

무심코 목소리가 나왔다.

"이렇게 형편없는데도 버리지 않을 거야……?"

클라우스가 「그래」 하고 즉답했다.

"상관없어. 부하의 마음을 돌보는 것도 내가 할 일—."

티아는 클라우스의 팔을 잡았다.

"고마워. 빨리 호텔에서 나를 안아 줘."

"택시에서 갑자기 무슨 말을 꺼내는 거야?"

바로 목소리가 냉랭해졌다.

배신당한 심정으로 티아는 노려보았다.

"너무해! 위로해 주겠다고 했잖아!"

"맛있는 레스토랑을 소개할 뿐이야."

"걱정하지 마. 호텔에는 그레테도 부를 거니까."

"지옥을 만들지 마."

클라우스가 이마를 짚고서 「……너는 가끔 릴리보다 더 귀찮아」 하고 중얼거렸다. 너무한 발언이었고, 『릴리=귀찮음』이라는 전제도 포함해서 폭언이었다.

하지만 티아도 물러나지 않았다.

'울적한 감정을 풀 다른 수단을 모른단 말이야…….'

위로해 주겠다고 동의한 이상, 책임져야 한다.

고작 상냥한 말로 납득할 수 있겠는가.

"기사님, 오른쪽으로 꺾어 주시겠어요? 줄곧 가 보고 싶었던 호텔이 있어. 방에 워터 슬라이드가 있대."

뒷좌석에서 운전기사에게 말했다.

싫다는 얼굴인 클라우스는 신경 쓰지 않았다.

하지만 택시는 티아가 우회전하고 싶었던 교차점을 통과해 버렸다.

"아, 너무 늦게 말했죠."

티아는 마음을 다잡고 다시 말했다.

"그럼 다음 모퉁이에서 우회전해 주세요. 이 근방에서 가장 고급인 호텔이 있어. 욕조가 아주 크고 일곱 가지 색으로 빛나."

너무 자세히 아는 것 아니냐고 클라우스가 지적했지만 역시 무시했다. 이대로 택시와 함께 체크인해 버리면 된다. 놓치지 않겠다.

—하지만 택시는 다시 교차점을 통과했다.

응? 역시 티아도 이상하게 여겼다.

왜 이 운전기사는 계속 직진하는 걸까? 아까부터 속도가 빨라?

"저, 저기, 손님."

운전석으로 눈을 돌리자 얼굴이 새파래진 드라이버가 보였다. 온순하게 생긴 30대 중반의 여성이었다.

"죄송합니다. 아, 아까부터 자동차가 이상해요."

그녀의 목소리는 떨리고 있었다.

공포에 물든 표정으로 말했다.

"시속 60km에서 속도가 안 떨어져요."

◇◇◇

티아는 어안이 벙벙해졌지만 클라우스의 판단은 빨랐다.

「실례하지」 하고 작게 중얼거리고서 운전기사의 목덜미를 잡아 뒷좌석으로 당겼다. 그대로 교대하듯 운전석에 앉았다.

핸들을 잡고 재빨리 택시의 상태를 확인했다.

"브레이크는 안 듣고, 액셀을 안 밟아도 전진하고, 사이드 브레이크도 의미가 없어……. 평범한 고장과는 달라."

클라우스는 조수석에 한 번 시선을 보냈다가 백미러로 여성을 보았다.

"최근 일상에서 뭔가 이상한 점은 없었나?"

"이상한 점이요?"

여성은 눈을 피했다.

"음, 글쎄요……."

"알겠군. 누군가에게 약점을 잡혔어. 그리고 그걸로 협박당하고 있어. 아닌가?"

"어, 어떻게 알았죠?!"

"그냥 알았어. 잔말 말고 빨리 가르쳐 줘."

여성은 당황하여 시선을 방황시켰지만 이내 작은 목소리로 말했다.

"회, 횡령이에요. 사무소의 금고에서 가끔 돈을 빼냈는데, 얼마 전에 턱수염을 기른 남자가 『너의 죄를 알고 있다』고 해서, 거역할 수 없어서……."

"거역할 수 없어서?"

"당신들을 택시에 태우라는 지시를 받았어요."

적의 계획에 제대로 걸려든 모양이다.

클라우스는 「그렇군」 하고 짧게 수긍했다.

"어떻게 된 건지 알았어. 우리 일에 말려들게 한 건 미안하지만, 근본적으로는 당신이 저지른 잘못 때문이야. 반성해야 해."

"네……."

클라우스는 한 손으로 핸들을 쥔 채 택시에 비치된 메모지에 뭔가를 휘갈겨 쓰고 여성에게 내밀었다.

"나중에 여기로 전화해. 위로금 정도는 주겠어. 이번 일로 학을 뗐다면 손을 씻어."

"다, 당신들은 뭐 하는 사람들인가요……?"

"알려고 하지 마. 눈을 감고 귀를 막아. 불이익을 주진 않을 거야."

여성은 메모를 받고서 클라우스가 말한 대로 양손으로 귀를 막고 얼굴을 숙였다.

그러는 동안에도 택시는 시속 60km로 거리를 달리고 있었다. 방향을 꺾기는 어려울 것이다. 지금은 직진할 수 있지만, 언젠가 빨간불에 걸릴 터다. 보통 같으면 사고는 불가피하다. 모든 것은 클라우스의 운전 기술에 달려 있었다.

신변에 닥친 위기에 티아는 비명을 질렀다.

"서, 선생님, 이건 뭐야?! 대체 무슨 일이—."

"기척을 지우는 게 능숙해졌어."

클라우스는 조수석을 툭 두드렸다.

"—아네트, 네 짓이지?"

그러자 조수석이 부풀더니 시트 아래쪽을 뚫고 소녀의 머리가 튀어나왔다.

"나님! 들켜 버렸어요!"

아네트였다.

마치 시트에서 머리가 난 것처럼 아네트의 머리만 튀어나와 있었다. 택시를 얼마나 크게 개조한 걸까.

"어, 어째서?!"

"릴리 누님이 말을 전해 달라고 했어요!"

목만 나온 아네트가 말했다.

"『선생님, 이 택시를 멈추고 싶으면 패배를 인정하세요.』"

그 말을 듣고 티아도 마침내 사태를 파악했다.

훈련이다. 소녀들이 늘 힘쓰고 있는— 클라우스에게서 졌다는 말을 받아 내는 승부.

릴리의 제안에 클라우스는 「있을 수 없는 일이야」 하고 말했다.

"『아마 거절할 테니까 천천히 설명하자면, 뭐, 늘 하는 그거예요. 하지만 이번에는 평소보다 공을 들였어요. 큰 임무를 앞두고 정말 진심으로 하는 습격이에요! 국내 임무로 성장한 저희의 실력을 맛보세요!』"

거기서 전언이 끝났는지 아네트는 입을 다물었다.

설명이 끝나자 클라우스는 흐뭇하게 중얼거렸다.

"—극상이야."

빨간불이 들어온 교차점에 돌격하여 경적을 울리며 큰길을 돌진했다. 까딱 잘못하면 대형 사고지만 그는 두려워하지 않았다.

"그래, 나도 성장을 확인해 보고 싶던 차야. 잘됐어."

왠지 즐거워 보였다.

아주 의욕적인 듯했다. 티아로서는 지금 당장 패배를 선언해 줬으면 하지만.

그러자 아네트가 꼼지락꼼지락 움직이더니 조수석 시트에서 탈출했다. 거대한 가방을 등에 메고 있었다. 형상을 보아하니 에어백 같았다.

그녀는 뒷좌석으로 와서 운전기사의 목덜미를 잡았다.

"그럼 나님은 이만 실례할게요!"

운전기사와 함께 택시에서 탈출하려는 것 같았다.

"어? 아네트, 나는?!"

황급히 묻자 「에어백 정원 초과예요!」라는 기운찬 대답이 돌아왔다.

"티아 누님은 인질이에요! 형님의 발목을 잡아 주세요!"

"뭐……?"

"나님, 폴짝 나갈 거예요!"

아네트가 손에 든 리모컨을 조작하자 택시 문이 활짝 열렸다. 그리고 빠르게 달리는 택시에서 운전기사와 함께 뛰쳐나갔다. 도중에 에어백이 열리며 두 사람은 크게 튕겨 인도로 굴러갔다.

폭주 택시에는 티아와 클라우스만이 남겨졌다.

티아는 상황을 파악했다.

—동료의 습격으로 어째선지 목숨이 위험하다!

"터무니없이 손해 보는 역할인데?!"

허둥지둥 안전벨트를 차고 크게 외쳤다.

"서, 선생님, 지금 당장 정차해 줘! 어차피 가능하잖아?!"

"가능하지만 정차 직후에 빈틈이 생겨."

클라우스는 침착했다.

"아네트라면 정차할 시 바로 폭파시킬 준비 정도는 했겠지."

"지금 당장 내리고 싶어!"

"일단 거리에서 벗어나겠어. 발신기의 전파가 통하지 않는 곳에서 정차하면 돼."

그리고 클라우스는 갑자기 핸들을 꺾었다.

맹렬한 속도로 달리던 자동차가 옆으로 미끄러졌다. 일단 감속했지만 바로 액셀이 걸리며 다시 급발진했다.

아슬아슬하게 좌회전에는 성공한 듯했다.

트럭에 깔리기 직전에 택시는 속도를 높여 산 쪽으로 향했다.

클라우스는 꺾는 방법을 습득했는지 가볍게 고개를 끄덕였다. 역시 대단한 테크닉이었다.

"……묘한데."

클라우스가 중얼거렸다.

"왜 60km지? 조금 더 빨라도 딱히 문제없는데."

"문제투성이라고 생각해……."

"간단히 좌회전할 수 있어."

"선생님이라면 그렇겠지."

하지만 제기한 의문은 타당했다.

클라우스를 진심으로 함정에 빠뜨리고자 한다면 시속 200km는 필요할 것이다. 아마도.

"역시 진짜로 사고가 일어나면 곤란하니까 속도를 줄인 걸까?"

"그렇군. 다른 가능성은?"

"음, 선생님이 다치지 않도록 온정을 베풀어서?"

"그 녀석들에게 온정 같은 게 있나?"

"……."

없었다.

클라우스에게 호감이 있는 그레테조차 훈련할 때는 가차 없었다. 승리하여 보스가 쉬도록 할 거라며 진지하게 이야기했다.

다른 의도가 있는 걸까.

그 목적은 택시가 거리를 벗어나 산길에 들어섰을 때 판명됐다.

"새인가."

클라우스가 나직이 중얼거렸다.

그 말에 창문으로 얼굴을 내민 티아는 상공을 나는 커다란 비둘기 한 마리를 보았다. 바로 위에서 날고 있었다. 지금까지 눈치채지 못했다. 자동차 구조상 차내에 있는 사람은 바로 위를 볼 수 없다.

"발신기 같은 건 관계없었어. 사라의 애완동물이 택시를 쫓고 있으니까."

"그렇구나. 60km는 비둘기가 쫓아올 수 있는 속도……."

다른 동료들은 비둘기를 안표로 클라우스의 위치를 파악할 수 있다. 교묘한 방식이었다.

그때, 민가 지붕에 서 있는 사라가 보였다. 운전석에 앉은 클라우스를 향해 생긋 웃었다.

—제가 추적하고 있습다. 놓치지 않을 검다.

그렇게 입이 움직였다. 자랑스럽게.

매 버나드가 보이지 않는 것은 다쳐서 요양 중이기 때문일까.

자동차는 점차 산길에 들어갔다. 하지만 비둘기는 열심히 쫓아오고 있는 것 같았다. 상당한 체력과 속도였다. 원래는 전서구라고 들었는데, 선배인 버나드의 대역으로 일하고 있는 듯했다. 이름은 에이든이었던가.

"여기서부터는 수 싸움이야."

주위에 사람이 없어지자 클라우스가 발언했다.

"어디서 정차하는가. 저쪽은 우리가 어디 있는지 알아. 미리 앞으로 가 있다가 정차하면서 빈틈이 생기면 일제히 습격하겠지."

"아, 안전한 곳에서 멈춰 줘."

"조금 더 가면 큰 커브길과 산림이 있어. 거기까지 가면 커브를 이용해서 스핀하며 나무와 부딪쳐 정차할 수 있지만—."

"전혀 안전하지 않아!"

"문제는 그 녀석이야."

어느새 나무들이 주위를 둘러싼 산길이었다. 상록수가 길의 좌우에 우거진 1차선 도로였다. 시야가 나빴다.

자동차의 속도는 여전히 떨어지지 않고 시속 60km.

아무래도 이 속도로 길가의 나무로 돌격하여 정차하는 건 불가능하다. 클라우스가 말한 대로 노폭이 넓어지는 커브길까지 가야 할 듯했다.

그때, 클라우스가 눈썹을 찌푸렸다.

"역시 왔나. —티아. 5초 후에 뒷좌석의 오른쪽 문으로 뛰쳐나간다."

"뭐?!"

"빈틈이 많겠지만 어쩔 수 없지. 이 택시는 옆으로 넘어질 거야."

갑작스러운 선언이었다.

사태를 이해하지 못한 채 그 광경이 찾아왔다.

"사고 직전의 사선에 몸을 던질 수 있는 건 저 녀석밖에 없어."

길 한복판에 마치 유령이 나타나듯— 에르나가 나타났다.

"불행……."

그녀의 입술이 수상쩍게 움직였다.

흡사 사신과 같았다.

클라우스가 즉각 핸들을 꺾었다. 급격한 방향 전환을 버티지 못하고 차가 크게 왼쪽으로 기울었다. 에르나의 머리 바로 옆으로 자동차 타이어가 통과했다.

사고가 발생하는 빠듯한 라인을 가늠하여 도로에 선 모양이다. 이런 수단은 늘 사고를 가까이 두고 사는 그녀만이 쓸 수 있었다.

택시가 옆으로 넘어지기 직전에 티아의 몸은 클라우스에게 끌어안겼다. 왼쪽으로 기우는 차내에서 위로 뛰어올라 오른쪽 뒷좌석 문으로 탈출했다.

두 사람이 탈출한 직후, 차는 옆으로 넘어졌다.

티아는 클라우스에게 안긴 채 지면에 추락했다. 낙하의 충격은 클라우스가 잘 억제해 줬다. 땅을 데굴데굴 구르며 낙법을 취했다. 다치지 않고 멀쩡히 차에서 탈출하는 클라우스는 역시 대단했다.

하지만 상대는 그 빈틈을 놓치지 않았다.

"여기서 등장인가."

그렇게 클라우스가 말했을 때.

"각오하세요!"

산림의 그늘에서 먼저 릴리가 뛰쳐나왔다. 손에 권총을 들고 클라우스에게 다가왔다. 그녀는 주저하지 않고 발포했다.

총탄은 클라우스가 곧장 든 단검에 튕겼다.

여기까지는 예상했으리라. 클라우스와 거리를 좁히기 위해 총으로 견제한 것이다. 릴리의 목적은 접근했을 때 밝혀졌다.

—가슴 쪽에서 연막이 분출되었다.

클라우스는 바로 후퇴하여 연기에서 도망쳤다. 한발 늦게 티아도 연막을 피하려고 했지만 살짝 연기를 마시고 말았다. 몸이 마비되었다. 평범한 연막이 아니었다. 릴리의 특제 독연막이었다.

티아는 땅에 쓰러져 보고 있을 수밖에 없었다.

연막을 뚫고 지비아가 튀어나왔다.

씩 웃으며 클라우스의 머리를 향해 호쾌한 하이킥을 날렸다.

"다친 건 다 나은 모양이야."

발차기를 막고 클라우스가 고개를 끄덕였다.

"그럼 조금 거칠게 상대할까."

"하! 얼마든지 덤—."

지비아의 말이 도중에 끊겼다.

클라우스가 팔꿈치로 빠르게 지비아의 옆구리를 찍었기 때문이다. 하지만 지비아도 반응했다. 팔로 가드했다. 격투 달인의 공격을 막아 냈다.

그러나 저항할 수 있었던 것은 잠깐뿐이었다.

이어서 클라우스의 바탕손이 지비아의 턱을 치며 그녀는 크게 뒤로 날아갔다.

역시 격투로는 지비아에게 불리해 보였지만—.

"하지만!"

지비아의 입은 웃고 있었다.

"—이미 훔쳤어."

그녀의 오른손에 클라우스의 단검이 있었다.

지비아는 땅에 쓰러지며 말했다.

"가라! 우리 팀의 에이스!"

「감사」라는 경박한 말과 함께 연기 속에서 모니카가 튀어나왔다.

지근거리에서 클라우스를 저격했다.

이제 클라우스에게는 총탄을 튕길 무기가 남아 있지 않았다. 몸을 틀어 피했다. 그리고 회전하는 속도를 죽이지 않고 그대로 모니카에게 돌려차기를 날렸다.

"윽!"

모니카가 신음했다.

"조금 느리군."

클라우스가 중얼거렸다.

티아는 눈앞에서 벌어지는 고도의 공방에 어안이 벙벙해졌다.

릴리, 지비아, 모니카는 전에 없이 완벽한 콤비네이션을 보이고 있었다. 조금이라도 타이밍이 어긋났다면 지비아와 모니카는 독연막을 마셨을 것이다. 하지만 독연막이 무서워서 주저하면 클라우스에게 준비할 시간을 주게 된다.

실행조의 연계는 크게 성장해 있었다.

그러나 여전히 클라우스에게는 도달하지 못했다.

"세 사람의 파상 공격으로도 이기지 못하다니……."

티아가 신음했다.

"틀렸어. 네 명이야."

그러자— 불손한 목소리가 들렸다.

연막에서 새로운 사람이 튀어나왔다.

"빈틈을 보였네. 클라우스 씨."

갑자기 클라우스 뒤에서 나타난 사람은— 또 다른 모니카였다.

완전히 배후를 차지했다.

맨 처음 나타난 모니카와는 비교도 안 되는 속도로 클라우스 뒤에 나타났다. 그리고 그의 왼쪽 어깨에 권총을 댔다. 그녀가 애용하는 회전식 권총이었다.

시간이 멈춘 것처럼 느껴졌다.

체크메이트다.

클라우스가 양손을 들고 움직임을 멈췄다. 그 뒤에서 모니카가 방아쇠에 손가락을 걸고 있었다.

「끝이야」 하고 모니카가 고했다.

"……."

클라우스는 침묵했다.

티아는 눈앞의 광경을 믿을 수 없었다. 모니카의 총은 클라우스의 몸에 딱 붙어 있었다. 한 발짝이라도 움직이면 쏘겠다고 경고하듯이.

현실이라고 인정할 수밖에 없었다.

'마침내 이긴 거야……? 저 선생님에게……?'

눈을 크게 떴다.

클라우스에게 백 번 넘게 도전했다. 하지만 이렇게까지 클라우스를 궁지에 몬 적은 처음이었다.

바람이 불며 자욱했던 연막이 걷혔다.

어느새 『등불』의 멤버 전원이 모여 있었다.

아네트, 사라, 에르나, 릴리, 지비아, 모니카, 그리고 또 다른 모니카가 클라우스에게 권총을 들고 마른침을 삼켰다.

"그렇군."

클라우스가 고개를 끄덕였다.

"처음 나타난 모니카는 변장한 그레테인가."

"네……."

첫 번째 모니카가 얼굴로 손을 가져가더니 마스크를 벗었다.

『등불』의 참모이자 변장의 달인, 그레테의 얼굴이 나타났다.

"……예상대로입니다. 보스라고 해도 모니카 씨에게는 경계를 늦추지 않을 터. 빈틈이 생길 거라고 생각했습니다."

전부 계획대로 된 모양이다.

여기까지 전개를 예측할 수 있는 사람은 그레테 말고 없다.

완벽한 팀워크였다. 택시 기사를 협박한 사람은 그레테일 것이다. 정보조인 그녀를 중심으로 팀은 움직였다. 특수조는 공작을 거듭하여 클라우스를 함정에 빠뜨렸다. 그리고 그 타이밍에 맞춰 실행조 세 사람이 움직였다.

—국내 임무를 경험하며 단련한 그녀들의 모습이었다.

"자, 클라우스 씨. 슬슬 시간 됐어."

모니카가 가학적으로 웃었다.

"졌다고 선언해. 얼른 안 하면 얼떨결에 발포해 버릴지도 몰라."

"……."

클라우스는 아까부터 입을 다물고 있었다.

저항하려고 하지는 않았다. 설령 움직이더라도 모니카의 총이 더 빠를 터다. 그가 상황을 타개할 방법은 없다.

클라우스가 크게 한숨을 쉬었다.

"—극상이야."

그리고 올렸던 손을 내리고 박수를 쳤다. 온화하게 웃고 있었다. 비아냥도 비꼼도 아닌, 틀림없는 칭찬의 박수였다.

"훌륭해. 일단 충고해 두자면 일류 스파이는 이 상황에서도 부상을 각오하고 저항할 거야. 물론 지금 나는 다칠 순 없어. 저항은 포기하겠어."

"——!"

그의 말에 소녀들도 놀란 듯했다.

평소에는 궁지에 몰았다고 생각한 순간에 클라우스의 스파이 기술로 역전당했다. 하지만 이번에 클라우스는 전혀 움직이지 않았다.

그의 얼굴은 전에 없이 기뻐 보였다.

"잘도 여기까지 강해졌어. 역시 너희는 무한한 가능성을 간직하고 있어."

클라우스는 온화한 시선을 보냈다.

"먼저 아네트. 택시 공작도 훌륭하지만, 무엇보다 기척 없이 차내에 숨어드는 기술이 훌륭해. 보통 사람과는 다른 그 감각으로 팀을 도와주길 바란다."

"나님, 형님의 명령이라면 따르겠어요!"

아네트가 기쁘게 대답하고 폴짝 뛰었다.

"다음으로 사라. 동물과 연계하는 기술은 역시 대단해. 너는 조금 더 자신감을 가져도 돼. 그 기술뿐만 아니라, 개성 강한 멤버들 사이에서 너의 상냥함은 틀림없이 장점이야."

"노, 노력하겠습니다."

사라가 긴장한 얼굴로 대답했다.

"그리고 에르나. 네 특기는 상당히 특수해. 너만큼 적을 농락할 수 있는 사람은 없어. 앞으로도 많은 어려움이 따르겠지만 극복하길 바란다."

"선생님과 함께라면 전혀 상관없어."

에르나가 새침한 얼굴로 대답했다.

작은 소녀들에게 말한 후, 클라우스는 이어서 실행조 멤버를 보았다.

"릴리, 지비아, 모니카. 너희는 팀의 열쇠야. 위험에 뛰어드는 너희의 용감한 모습이 멤버의 마음을 지탱해. 쉽게 우쭐해지는 게 옥에 티지만, 너희는 그 정도 정신 상태에서 가장 힘을 발휘하겠지."

「네, 천재 릴리에게 맡겨 주세요」 하고 릴리가 가슴을 폈고.

「응, 더 기대해 줘」 하고 지비아가 대답했다.

그리고 모니카가 「이 두 바보와 세트로 묶지 마」 하고 언짢은 얼굴로 중얼거렸다.

클라우스는 다음 소녀에게 시선을 옮겼다.

"그리고 그레테. 너에 관해서는—."

"아뇨, 더 말씀하지 않으셔도 보스의 마음은 전해졌습니다……."

그레테가 고개를 가로저었다.

"혼인 신고서는 받아 왔습니다."

"틀렸어."

"……우우."

"『시체』 임무를 통해 너는 비약적으로 성장했어. 모니카와 한 팀이 되면 일류 스파이와도 싸울 수 있는 수준에 도달했어. 다음 임무에서도 그 지모를 발휘해 줘."

그레테가 공손하게 고개를 숙였다.

"보스가 그렇게 말씀해 주셔서 영광입니다……."

클라우스가 짧게 「나를 보스라고 부르지 마」라며 정정했다.

그리고 마지막으로 시선을 보낸 곳은—.

"티아."

"어, 응. 왜?"

"컨디션 난조인 너에게 격려의 말을 해도 오히려 몰아붙일 뿐이겠지. 하지만 이것만큼은 잊지 마. ―너에게는 믿음직한 동료들이 있어."

"……."

괜찮은 대답이 안 나왔다.

하지만 그의 배려는 전해졌다.

숙연한 분위기 속에서 모니카가 장난스럽게 웃었다.

"뭐야, 이거. 졸업증 수여식?"

그걸 따라 다른 소녀들도 웃었다.

실제로 졸업식 같은 분위기였다. 소녀들의 얼굴에는 감동과 낯간지러움이 섞여 있었다. 교관의 고마운 찬사를 자랑스럽게 받아들이고서.

"그것도 좋겠지."

클라우스도 부정하지 않았다.

"너희는 아직 양성 기관의 임시 졸업생이었지. 개개인에게 과제는 많이 남아 있지만, 팀으로서 맞물렸을 때의 폭발력은 이미 졸업 수준이야. 다음 임무를 졸업 시험으로 삼겠어. 달성하면 어엿한 스파이다."

소녀들이 「오오!」 하고 환호성을 질렀다.

그건 소녀들에게 계속 남아 있던 과제였다.

그녀들은 「양성 학교의 낙오자」라는 부정적인 낙인이 찍혀 있었다. 졸업 가능한 수준은 고사하고 아슬아슬하게 낙제를 면하는 저

공비행을 계속했었다. 『등불』에 스카우트되어 문제를 극복하며 스파이 임무를 소화하고 있지만, 마음에는 여전히 한 사람 몫을 못 한다는 의식이 있었다.

졸업— 멋진 말이다.

저마다 주먹을 움켜쥐었다.

"저기, 미안한데 나는 조금도 흥미 없어."

유일하게 기뻐하지 않는 사람은 모니카뿐이었다.

"그보다 빨리 『항복』해. 나는 어물쩍 안 넘어가."

"너다운 말이야."

"그야 내가 졸업 수준인 건 명백하니까. 그것보다 클라우스 씨를 이기고 싶다는 마음이 백배는 더 중요해."

모니카는 프라이드가 높다. 평소에 울분이 쌓였을 것이다. 아까부터 클라우스의 등에 총구를 꾹꾹 누르고 있었다.

"그래. 슬슬 이번 승패를 말하기로 하지."

"응, 아무쪼록 큰 목소리로 말해 줘."

"알겠다."

그 타이밍에 클라우스는 다시 양손을 위로 들었다.

누구나 아는, 무저항을 나타내는 『항복』 포즈였다.

"몸으로만 표현하지 말고 말로도 선언해 줄래?"

모니카가 하얀 이를 드러냈다.

그리고 클라우스가 「그래. 그런데」 하고 입을 열었다.

"—이 놀이에 언제까지 장단을 맞춰 주면 되지?"

사이렌이 울렸다.

티아는 깜짝 놀라 상황을 확인했다. 틀림없는 경찰차 사이렌이었다. 그것이 도로 양옆에서 들렸다.

"경찰?!"

모니카가 혀를 찼다.

"어떻게 된 거야? 택시 기사한테 신고하지 말라고 협박해 뒀는데."

티아도 믿을 수 없었다.

클라우스는 줄곧 택시를 운전했다. 신고할 여유는 없었다. 택시 기사는 횡령을 약점으로 잡혀 협박당하고 있었다.

왜 경찰이 달려오는 걸까—?

"인선이 틀렸어. 노림수는 좋았지만, 그런 입이 가벼운 여자를 끌어들이면 안 되지. 자신의 횡령 사실을 나한테도 나불나불 떠들었어."

"……!"

"나도 똑같이 위협할 수 있어. 횡령 사실을 없애 줄 테니 대신 경찰에 신고하라고 말이야."

그걸 전달한 타이밍은 상상이 갔다.

'메모지에 적었구나……!'

클라우스가 택시 기사에게 건넸던 메모지. 거기에 몰래 지시를 적었을 것이다. 이곳에서 습격받을 것도 예측하여 그것도 기재해서.

택시 기사 입장에서 클라우스는 목숨이 위험한데도 폭주 택시를 대신 맡아 준 은인이다. 어쩌면 그에게 흔들리는 감정이 있었을지도 모른다.

“당장 도망치는 게 좋을걸. 경찰은 어떻게 판단할까? 선량한 시민에게 총을 들이댄 너희를 어떻게 볼까?”

“……윽. 실전이었다면 나는 바로 발포했을 거야.”

“그럼 나는 저항했겠지. 너희가 경찰에게 붙잡힐 때까지.”

클라우스의 반론에 모니카가 분한 얼굴로 입술을 깨물었다.

어쨌든『항복』이라는 말은 들을 수 없다. ―실전이었다면 정보를 캐내지 못한 시점에 스파이로서 패배다.

사이렌 소리가 가까워졌다.

“도, 도망치죠! 철수!”

릴리가 외치고서 산림 속으로 뛰어들었다. 다른 소녀들도 뒤를 따랐다.

티아가 그 뒷모습을 보고 있으니 지비아가 팔을 잡고 일으켜서 「꾸물거리지 말고 가자!」라며 강제로 끌고 갔다.

딱히 티아는 도망칠 필요가 없지만 따르기로 했다. 이미 릴리의 독은 해소된 상태였다.

“아아, 그래. 티아.”

그러자 클라우스가 불렀다.

“나는 앞으로 사흘간 쉬며 임무 준비에 들어갈 거야. 아지랑이 팰리스에는 안 돌아가. 다른 녀석들을 챙겨 줘.”

“아, 알겠어.”

클라우스와의 훈련은 잠시 중단될 것이다. 그도 전신전령으로 임무에 임하려는 모양이다.

티아와 소녀들은 산림을 빠져나갔다.

조금 달려가자 동료가 준비한 승용차가 있었다. 듣자 하니 갱에게서 훔친 차를 새로 칠하고 개조하여 다른 물건으로 만든 듯했다. 대담한 짓을 한다.

V형 16기통 엔진을 장착한 외국산 중고차였다. 아이보리블랙의 거대한 차체가 빛나고 있었다. 정원은 여섯 명. 그런대로 대형이었다.

안전이 확보되자 소녀들은 웃었다.

“이야~ 이번에는 아까웠어요. 거의 다 됐었는데.”

릴리의 감상에 지비아가 어이없어하며 대답했다.

“그런가? 전혀 차이가 줄어든 것 같지 않아.”

“아니죠, 졸업 수준이라는 말을 들었잖아요.”

“뭐, 그건 그렇지……. 하지만 여덟 명이 모여야 겨우 한 사람 몫을 한다고 에둘러 말한 것 같은데.”

“어쨌든 한 사람 몫은 하잖아요!”

“긍정적이네. 뭐, 솔직히 기뻐하면 되려나.”

“네, 다 같이 임무를 달성하여 졸업을 쟁취해요!”

그녀들의 들뜬 대화에 티아는 낄 수 없었다.

“…….”

실제로 훌륭한 성과였다. 옆에서 보던 티아가 일순 승리를 확신했을 정도다.

하지만— 거기에 티아는 없었다.

계속 전진하는 소녀들 틈에 자신은 전혀 낄 수 없었다.

"으음~ 티아가 있었다면 정말로 이겼을지도 몰라요."

릴리가 불쑥 중얼거렸다.

「어?」 하고 반문하자 그녀는 웃으며 해설했다.

"이번 패인은 끌어들인 상대가 배반한 거잖아요? 티아에게 맡겼다면 더 완벽하게 교섭할 수 있었을 테죠."

"……!"

릴리의 격려에 일순 마음이 들떴다.

하지만 곧장 이성이 고양감을 지웠다.

'안 돼. 또 우쭐해져서 호된 꼴을 당할 뿐이야. 이번 작전에 나는 필요 없었어.'

분명 승패는 달라지지 않았다.

클라우스가 다른 수단을 써서 소녀들을 이겼으리라.

"이번 계획은 내가 모르는 게 최선이었어. 뭔가 알았다면 선생님에게 들켰을 거야."

릴리의 말로부터 도망치듯 대답하고 티아는 뒷좌석 안쪽에 앉았다. 다른 소녀들도 속속 올라타 곧장 반성회가 열렸지만 참가할 마음은 들지 않았다.

차가 출발한 뒤로도 티아는 창문을 바라볼 뿐이었다.

'정말로 마음이 꺾여 버렸구나…….'

흘러가는 풍경 위로 자신의 얼굴이 보였다. 우울에 찬 표정. 이 자리에 전혀 어울리지 않는 얼굴이었다. 티아 옆에 있는 다른 세 소녀도, 조수석에 앉은 두 소녀도, 다들 시원스럽게 웃고 있는데 자신 혼자만—.

"근데 이 차 6인승이지? 너무 좁지 않아?"

문득 깨달았다.

사람이 매우 많았다.

곰곰이 생각해 보니 6인승 차라면 좌석이 부족하다.

다른 소녀들도 답답한지 괴로워했다.

"응, 너무 답답해. 조금 가서 나는 내릴래. 진짜 짜증 나……."

"어, 어라? 아네트 선배는 어디 있슴까?"

"나님, 지붕 위에 매달려 있어요!"

"……위험하니 내려오세요. 릴리 씨, 적당한 곳에 차를 세워 주세요."

"예? 운전하고 있는 사람은 제가 아닌데요? 저는 조수석에 있어요."

"에르나, 액셀에 발이 간신히 닿아……. 하, 하지만 운전 힘낼 거야!"

"너만큼은 절대 운전하지 마아아!!"

티아의 심각한 심정을 무시하고 소녀들은 시끄러웠다.

◇◇◇

클라우스는 떠나는 소녀들의 뒷모습을 눈부시게 느끼고 있었다.

옆으로 넘어진 택시에 등을 기대고 한숨을 쉬었다. 릴리 일행의 이번 습격은 평소보다 더 과격했다. 권총에다가 폭주하는 자까지 가차 없었다. 클라우스가 다치지 않는 라인이 어느 정도인지 알게 되었을 것이다. 실전이라고 해도 손색없을 만큼 힘이 들어간 습격이었다.

'이 정도면 목숨이 왔다 갔다 하는 수준에 가까운데…… 역시 이번에는 특별했겠지.'

그만큼 합중국에서 수행할 임무에 기합이 들어가 있는 것이라고 호의적으로 받아들였다.

실제로 소녀들의 의욕에는 감탄했다.

솔직히 클라우스에게도 예상외였다.

'죽을 수도 있는 임무라고 하면 보통은 좀 더 겁을 먹을 테지만…….'

물론 두려움이 전혀 없지는 않을 것이다. 나약한 소리는 속에 숨기고 센 척하는 면도 있을 터다.

하지만 그녀들은 그것을 극복하고 있었다.

'릴리의 영향력인가.'

스파이 기술로는 뒤떨어지는 소녀가 멤버의 정신을 지탱해 주고 있었다.

그 튼튼한 멘탈과 밝은 성격은 릴리만의 힘이다. 그녀의 가치는 연기나 독보다도 거기에 있었다.

—양성 학교에서는 발휘되지 않았던 릴리의 진가.

'설마 적당히 붙인『리더』라는 직함이 이렇게나 효력을 보일 줄은 몰랐어.'

본인에게는 절대 말하지 않을 거지만, 그녀를 리더로 지명한 건 즉흥적인 일이었다. 원래는 티아나 모니카, 그레테가 적임이리라.

하지만 지금은 올바른 선택이었다고 단언할 수 있다.

"티아의 멘탈이 걱정되지만 그 녀석들을 믿기로 할까."

티아를 보조하는 역할은 릴리 일행에게 맡기자.

아무래도 자신과 티아는 상성이 나쁜 것 같았다.

정조 관념이 너무 달랐다. 자신이 티아를 위로하려고 하면 그녀는 식사하는 감각으로 성관계를 요구했다. 안타깝게도 손쓸 방도가 없었다.

티아는 이번 임무의 열쇠를 쥐었다. 그런 티아를 보조하는 것은 소녀들의 역할이다.

결론을 정리했을 때, 경찰차가 도착했다. 경관이 황급히 차에서 내려 말을 걸어왔다.

"아, 폭주 택시의 피해자시군요."

"맞아."

클라우스는 고개를 끄덕였다.

"보다시피 선량한 시민이야."

"하아…… 그나저나 큰일이었네요. 테러 조직에게 노려졌다고 들었습니다. 지금 거리에서는 소문이 자자해요. 선생님의 운전 기술도 어우러져서 상당히 눈에 띄었으니까요. 대체 무슨 음모가 있는 거냐며 말이죠."

"……."

아무래도 큰 소동이 된 모양이다.

'역시 이렇게 민폐가 커지는 수단은 자제하라고 하자…….'

이건 너무 과했다.

그럼 어떻게 이 소동을 잠재울까—.

◇◇◇

한편 소녀들은 여전히 떠들썩했다.

운전석에서 에르나를 쫓아낸 뒤 지비아가 운전을 맡았고, 겸사겸사 지붕에 있는 아네트를 끌어 내려 답답한 차내에서 즐겁게 대화했다.

아네트를 무릎 위에 올린 릴리가 조수석에서 웃었다.

"근데 기대돼요, 합중국. 세계의 운명을 건 스파이라는 느낌이 들어요!"

"너는 태평해서 좋겠다."

핸들을 쥔 지비아가 웃었다.

"하지만 무서운 반면 역시 기대되기도 해. 우리나라보다 발전했겠지."

"임무가 끝나면 관광해도 되려나요?"

"글쎄…… 하지만 그게 가능하다면 최고야. 야구라는 걸 보고 싶어."

그러자 뒷좌석에서 모니카가 「애초에 너, 그쪽 말은 배웠어?」 하고 지비아에게 질문했다.

"나, 나이스 투, 미, 미츄……."

"수준 낮네."

"아아, 시끄러워! 가는 길에 배에서 배울 거야! 그거면 충분하잖아?"

"그 정도는 양성 학교 1학년 때 습득해 와야지."

모니카와 지비아가 으르렁거리며 차내는 웃음에 휩싸였다.

다른 소녀들도 저마다 자신의 희망을 말했다.

"나님, 텔레비전 방송을 한번 보고 싶어요! 전자 제품을 싹 사들일 거예요!"

"나는 미술관이랑 박물관을 돌고 싶어. 지하철도 꽤 잘 정비되어 있다잖아?"

"에르나는 여신상을 보고 싶어! 굉장하다고 들었어!"

"저는 기념품으로 레코드를 사 모으고 싶습다. 재즈요."

"……저는 보스와 뮤직홀에 가고 싶어요."

즐거운 공상은 멈추지 않았다.

햄버거가 맛있다더라는 둥 어쩌고 스퀘어가 유명하다는 둥 관광 가이드에 있는 정보로 신나게 이야기했다. 가 본 적 없는 대국에서 기다리고 있는 것은 목숨을 건 임무뿐만이 아니었다.

최종적으로 임무 달성 후에는 다 같이 휴가라는 결론에 이르렀다.

릴리가 즐겁게 말했다.

"가자고요! 합중국!"

"""""""오오~!!"""""""

소녀들이 한목소리로 환호성을 질렀다.

태평한 대화지만 지적하는 자는 없었다. 지금은 이거면 된다는 암묵적인 이해가 있는 것처럼.

거기에 티아만 끼지 못했다. 답답한 차내에서 무거운 한숨을 쉬었다.

'……나 혼자 정체되어 있어.'

열등감이 사라지지 않았다.

다른 멤버는 최고의 상태다. 실력을 높였고, 임무에 대한 의욕도 높다. 불안함에 사로잡혀 있지도 않았다.

몸도 마음도 전부 티아만 제자리였다.

"……."

몇 번이고, 몇 번이고, 몇 번이고, 몇 번이고, 몇 번이고, 몇 번이고, 몇 번이고, 몇 번이고, 몇 번이고, 몇 번이고, 몇 번이고, 몇 번이고, 몇 번이고, 몇 번이고, 몇 번이고, 몇 번이고, 몇 번이고— 마치 저주처럼 마틸다의 비웃음이 귀에 되살아났다.

—『티아 씨, 너무 하찮아요. 물러 터져서 진짜 구워삶기 쉬웠어요.』

그녀의 조소가 사라지지 않았다.

자신에게 몇 번이고 물었다.

—내가 목표해야 할 스파이는 뭐지?

◇◇◇

2주 후, 『등불』의 멤버는 긴 항해 끝에 무자이아 합중국에 도착한다.

기대와 절망이 뒤섞인 세계 도시— 미타리오에서 결전이 시작되려고 했다.

막간 보라개미②

결국 『그녀』는 이 나라에 오게 된 경위를 전혀 이야기하지 않았다. 뭔가를 떠올리듯 눈을 가늘게 뜰 뿐이었다. 다시는 돌아오지 않을 일상을 상기한 걸까.

보라개미는 상대를 관찰했다. 생각보다 젊다는 말은 본심이었다. 그녀는 미타리오에서 뛰어난 기량으로 스파이 활동을 하고 있었다. 노회하기 짝이 없는 소녀라고 생각했다.

―『그녀』는 여전히 이름을 밝히지 않았다.

하지만 상관없었다. 천천히 생각하면 된다. 아직 시간은 남아 있었다.

콜라를 한 잔 더 주문했다.

전속 바텐더가 아이스픽으로 얼음을 깨고, 잘린 레몬을 곁들어 보라개미에게 건넸다. 그것을 입에 머금고 혀 위에서 섞고 있으니 노크 소리가 울렸다.

「들어와」라고 말하자 애완동물용 목줄을 찬 벌거벗은 남성이 들어왔다.

"……."

새로운 사람의 등장에 『그녀』는 의아해했다.

보라개미는 온화하게 미소 지었다.

"당신의 태도가 매정하니 신사답게 제 쪽에서 얘기하자 싶어서 말이죠. 궁금하죠? 당신들이 패배한 이유가."

보라개미는 목줄을 찬 남자에게 「—【앉아】」라고 명령했다.

그러자 그는 일순 분한 표정을 지었지만 고분고분하게 바닥에 앉았다.

"소개하죠. 제 애견입니다."

"……!"

"이 친구는 5년 전까지 미타리오 대학의 의학부 학생이었습니다. 신동이라고 불리며 아주 우수한 성적을 자랑했죠. 수석이었다고 해요. 크리켓부의 캡틴이기도 했고요. 여성에게도 인기가 많았다고 들었습니다. 매일 충실한 나날을 보내며 장래도 기대받았어요."

"……."

"이상하죠? 그런 청년이 어째서 개새끼로 전락했는지."

보라개미가 바텐더에게 손을 내밀자 상대는 와인잔과 함께 전기 충격기를 건넸다. 보라개미가 애용하는 특제품이었다. 전원을 켜자 파란 불꽃이 파지직 튀었다.

보여 드리죠, 하고 말한 보라개미는 애견이라고 부른 남자의 어깨에 전기 충격기를 꽂았다.

절규가 쩌렁쩌렁 울렸다.

지옥 밑바닥에서 울리는 듯한 소리였다.

보라개미는 전기 충격기를 떼지 않았다. 넉넉하게 23초. 남자에게는 영원처럼 느껴질 시간 동안 고통을 주고 마침내 전기 충격기의 전원을 껐다.

보라개미는 이어서 「—【감사 인사】」라고 명령했다.

애견은 눈물을 흘리며 고통스럽게 「……감사합니다」 하고 신음했다.

"——!"

『그녀』는 말을 잇지 못하고 숨을 삼켰다. 끔찍한 광경을 이해하지 못하는 것 같았다.

보라개미는 웃었다.

"놀랍죠? 기절하지 않도록 괴롭히려면 요령이 필요해요."

전기 충격기는 1초 만에 상대를 실신시킬 수 있는 위력으로 개조되었다. 20초 이상 격통을 주려면 기술이 필요했다.

"재능이죠. 옛날부터 알 수 있었어요. 어떻게 사람을 혼내 주면 공포를 뇌에 새길 수 있는지. 일주일이나 계속 학대하면 누구든 말을 듣게 돼요. 죽으라고 명령하면 죽어요."

"……."

"건전한 의학생이었던 청년은 저의 개가 되었죠. 가족을 버리고, 애인을 버리고, 꿈을 버리고, 호적을 버리고, 지금은 제 명령을 듣고서 전 세계를 뛰어다니고 있어요."

보라개미는 이 힘을 『지배』라고 불렀다.

신이 내렸다는 생각밖에 안 드는 재주였다.

"제가 주는 격통을 받은 자는 뇌가 다시 만들어져요. 머리로 이해하는 게 아니에요. 본능이 굴복하는 거예요. 학생도, 킬러도, 격투가도, 경찰도, 은행원도, 배우도 부복하여 왕을 받들죠."

보라개미는 고했다.

"죽을 때까지 명령을 충실히 지키는—《일개미》예요."

"……!"

"그들은 낮에 일반 사회에 녹아들어 있어요. 하지만 밤에는 죽을 힘을 다해 제게 봉사하는 노예가 돼요. 암살 기술을 갈고닦으며 살인을 전혀 주저하지 않아요."

보라개미의 본거지인 미타리오에는 많은 일개미가 잠복해 있다. 감정을 죽이고 보라개미의 명령만을 따르는 인간이 선량한 시민인 척 녹아들어 있었다.

"결론부터 말하자면 당신의 동료는 《일개미》에게 유린당했어요."

그리고 보라개미는 이야기하기 시작했다.

왕이 군림하는 미타리오에서 일어난 학살을.

2장 개전

차량, 사람, 차량, 빌딩, 차량, 광고, 사람, 사람, 사람, 차량, 빌딩, 차량, 사람, 사람, 차량, 차량, 차량, 사람, 사람, 전차, 사람, 빌딩, 사람, 사람, 사람, 사람, 사람, 사람, 광고, 차량, 사람, 빌딩, 사람, 차량, 차량, 차량, 사람, 차량, 사람, 광고, 광고, 광고, 사람, 사람, 빌딩, 차량, 전차, 차량, 사람, 사람, 차량, 빌딩, 차량, 사람, 차량, 사람, 사람—.

티아는 한숨을 쉬었다.

임대 아파트에서 보이는 압도적인 광경에도 점차 익숙해졌다.

무자이아 합중국의 대도시 미타리오에 도착하고 2주가 지났다.

티아의 직함은 수입 가구 판매 회사의 사원이라고 되어 있었다. 딘 공화국에 있는 회사로, 그곳의 계약 사원이라는 신분이었다. 클라우스, 그레테와 함께 국내에 수입할 최첨단 가구를 찾기 위해 미타리오에서 정보를 모으고 있다— 그런 가짜(위장) 경력이었다.

체재지로 아파트를 두 집 빌렸다.

8층에 있는 방 두 개짜리 집이었다. 미타리오의 중심지와도 가까웠다.

바로 아래에는 메인 스트리트가 있었고 오늘도 교통 체증을 빚고 있었다. 자동차 몇백 대가 도로에 밀려들어 길게 줄을 만들고, 운전자들을 노린 거대한 간판 광고가 길을 따라 늘어서 있었다. 텔레비전 방송의 캐스터가 미타리오의 교통 체증 문제를 다뤘다. 정부는 통근자에게 지하철 이용을 권장한다고 한다.

고개를 드니 하늘을 찌를 듯한 빌딩이 늘어서 있었다. 첨탑은 가르가드 제국의 수도도 대단했지만 비교가 되지 않았다. 30층, 40층, 50층, 경쟁하듯 고층 빌딩이 건설되고 있었다. 건축물의 세계 최고층 기록이 격년으로 갱신 중이었다.

'뭐랄까, 정말로 우리나라는 시골이네…….'

티아는 한숨을 쉬었다.

딘 공화국에서는 교통 체증 따위 가끔 발생할 뿐이다. 텔레비전 방송도 없고, 그저 라디오 방송뿐이었다. 지하철 따위 존재하지 않았으며, 간신히 도시에 전차가 도입된 수준이었다. 시골에서는 여전히 마차가 달렸다. 10층을 넘는 고층 빌딩은 거의 볼 수 없었다.

저번에 딘 공화국 남단의 환락지에 가서 거대한 호텔들을 봤었지만, 미타리오와 비교하니 장난감 수준이었다.

"티아 씨, 아침 식사 준비가 끝났어요……."

방 밖에서 그레테의 목소리가 들렸다.

티아는 복장과 머리 모양을 확인하고 다이닝룸으로 향했다.

향긋한 토스트 냄새와 달콤한 잼 냄새가 감돌았다. 그리고 그것들을 서빙 카트에 올리는 그레테가 있었다.

"고마워. 오늘도 맛있겠다. 근데 굳이 옮기려고?"

"네……. 오늘은 보스와 함께 아침을 먹기로 약속해서요……. 힘

좀 썼습니다."

그레테는 전부 싣고서 카트를 밀기 시작했다. 옆집을 쓰는 클라우스에게 가는 것이리라.

그 기특한 모습은 멋지지만, 딱 하나 신경 쓰이는 요소가 있었다.

"4인분이네."

식기는 4인분 준비되어 있었다. 모든 토스트가 깔끔하게 구워졌지만, 노릇한 정도가 제각각인 것은 불안정한 심리 상태를 나타내는 걸까.

티아는 그레테와 함께 옆집으로 가서 문을 노크했다. 클라우스는 곧장 얼굴을 내밀었다.

"안녕. 일부러 준비해 줘서 고맙다."

그레테에게 감사를 표하고서 그는 카트에 시선을 떨어뜨렸다.

"4인분인가."

바로 눈치챈 모양이다.

그레테가 불만스럽게 고개를 가로저었다.

"……그다지 가슴 설레는 일은 아니었지만요."

"무리할 필요 없어. 내일부터는 내가 만들지."

마치 신혼부부 같은 정다운 대화였다. 절로 미소가 나서 계속 바라보고 싶어졌다.

그 사이에 끼어들듯 불쾌한 목소리가 침실에서 들렸다.

"이야~ 냄새 좋은데. 아침밥이야? 화톳불, 훌륭하잖아. 나도 배

고파."

클라우스는 눈썹을 찡그리고 침실 문을 열어젖혔다.

"딱히 너한테 먹이는 게 확정된 건 아니야."

그곳에는 전신을 구속당한 야윈 남자—『시체』 롤랜드가 있었다.

양팔이 뒤로 간 채 온몸이 벨트로 고정되어 있었다. 겹겹이 잠겨서 이 상태만으로도 고문에 가까웠지만 일류 암살자는 동요하지 않았다.

그는 침대 위에서 헤실헤실 경박하게 웃고 있었다.

"어이어이, 너무하네. 이래 봬도 훌륭한 정보 제공자라고."

"제대로 된 정보도 안 내놓으면서 말이지."

클라우스의 비아냥을 롤랜드는 가볍게 받아넘겼다.

"됐고, 구속을 풀어 줘. 역시 양손을 못 쓰는 상태로 토스트는 못 먹어."

"……."

클라우스는 토스트가 담긴 그릇을 롤랜드 앞에 놓았다.

"입으로 직접 먹어."

"……포로 학대라고 알아?"

"붙잡힌 스파이에게 인권이 있을 거라고 생각하지 마."

클라우스가 내뱉듯 말하고 그와 거리를 벌렸다. 같은 방의 공기조차 마시고 싶지 않다는 것처럼.

"……저기, 선생님. 저 녀석, 정말 데려와도 괜찮은 거야?"

"보라개미가 어떻게 생겼는지 아는 사람은 저 녀석뿐이야. 안타깝지만 이용 가치가 있어."

진심으로 싫은 듯했다.

기분은 이해했다. 티아도 롤랜드에게 좋은 인상은 없었다. 전 세계에서 정치가와 스파이를 죽였던 남자다. 그의 손에 얼마나 많은 사람이 목숨을 잃었는가.

그때, 그레테가 나이프와 포크를 들고 롤랜드에게 다가갔다. 딱딱한 표정으로 그의 토스트를 잘라 줬다.

의외였다. 설마 그레테가 솔선해서 시중을 들 줄이야.

고맙다고 인사하는 롤랜드를 무시하고 그레테는 말했다.

"……몇 가지 질문하고 싶습니다."

목소리는 딱딱했다. 남성과 이야기하는 것에 저항감이 있을 것이다.

"응?"

"……당신은 올리비아 씨를 기억하나요?"

그레테가 말한 여성의 이름은 들은 적이 있었다. 그레테와 적대했던 스파이다. 롤랜드의 제자로, 유력 정치가의 집에서 메이드로 일하며 제국의 스파이를 지원했었다.

"응? 물론 기억하지."

롤랜드는 수긍했다.

"그게 왜?"

"……당신은 그분을 사랑했나요?"

"그래, 물론이야. 사랑한다고 속삭이기만 하면 목숨을 걸어 주는 편리한 장기말—."

토스트가 롤랜드의 얼굴에 내동댕이쳐졌다.

그릇째로, 호쾌하게.

빨간 딸기잼이 마치 피처럼 그의 몸을 따라 흘렀다.

"그레테."

클라우스가 불렀다.

"진정해."

"네…… 죄송합니다……."

그릇을 던진 그레테가 침실에서 나왔다. 그대로 엄중히 문을 잠갔다.

"티아 씨, 저 남자의 마음을 읽을 수는 없나요……?"

그레테가 작은 목소리로 말했다.

"냉큼 정보를 빼내고 바다에 버리기로 하죠."

"너, 이렇게까지 화내는 타입이었던가?!"

그레테의 역린을 건드린 모양이다.

드물게도 그레테를 달래며 티아는 한숨을 쉬었다.

"기분은 이해하지만 무리야. 여러 번 도전 중인데 경계받고 있어."

티아에게는 특기가 있다. —마주 본 상대의 마음을 읽을 수 있었다.

하지만 일류 스파이 상대로는 쉽게 통하지 않았다. 몇 번 도전했지만 실패로 끝났다. 마음을 읽기 전에 상대방이 시선을 피했다. 아마 스파이의 직감으로 경계하는 것이리라.

"일단 저 남자는 방치해도 될 거야."

클라우스가 말했다.

"다른 루트로 보라개미를 찾는다. 이 남자가 톨파 경제 회의에 관여하고 있는 건 사실이겠지. 나는 오늘부터 관계자를 만나 볼 거야. 보라개미의 정체를 밝혀내서 구속한다."

그리고 덧붙였다.

"동료의 지휘는 너희 두 명에게 맡기마."

"알겠어."

"알겠습니다……."

티아는 그레테와 함께 힘차게 고개를 끄덕였다.

이제부터 팀의 움직임은 자신의 수완에 달렸다.

◇◇◇

아침을 먹고 티아는 자신들의 집으로 돌아왔다.

아침 8시를 넘긴 시각, 이제부터 사람들의 움직임이 활발해진다. 큰길 쪽에서 끊임없이 경적이 울렸다. 스파이로서 움직이기 시작할 시간이다.

지금까지 2주간은 거리에 녹아드는 데 전념했다. 실제로 수입 가구 회사의 사원으로 근무하며 여러 인테리어샵을 돌았다. 남들 눈에는 젊은 커리어 우먼으로만 보였을 터다. 경찰에게 직무 질문을 받더라도 당당히 대답할 수 있다.

계획대로 오늘부터 첩보 활동을 개시한다.

홍차를 끓이고 식탁 앞에 앉았다.

"어, 으음, 아무튼 그레테, 현재 상황을 정리해 줄래?"

"네, 알겠습니다……."

그레테는 그렇게 말하고서 지금까지 모은 정보를 노트에 적어 줬다.

【작전명: 미타리오 수색 미션

목적: 『보라개미』 구속 및 『뱀』 관련 정보 수집.

전제: 『뱀』은 톨파 경제 회의의 요인과 접촉하여 제국에 이롭도록 이끌고 있다.

수단①: 『등불』의 멤버를 각 요인 곁으로 파견하여 적 스파이를 수색한다.

수단②: 찾아낸 적 스파이를 심문하면서 『보라개미』가 어디 있는지 알아낸다.

보충: 클라우스는 따로 행동. 수상한 인물을 닥치는 대로 조사할 예정.】

"응, 고마워. 정리하면 이런 거지."

개요를 머릿속에 다시 넣고 페이지를 찢은 후, 성냥으로 불을 붙여 처분했다.

해야 할 일이 정리됐다. 현 상황의 걱정거리도.

"뭐, 굳이 말할 것도 없지만, 상대의 정보가 너무 없어. 정체도 불명이야."

"네. 하지만 저희가 모일 곳은 하나예요. 톨파 경제 회의. 그 중심으로 가면 자연스럽게 스파이가 모이게 돼요……."

"타국의 스파이는 어쩌고 있을까?"

"지금은 내버려 두는 편이 좋겠죠. 동맹국에는 보스가 얘기를 해뒀어요. 무자이아 합중국과 다른 나라들도 제국을 경계한다는 점에서는 일치하니까요……."

티아는 고개를 끄덕였다.

일단은 제국만을 생각하자. 라일라트 왕국, 펜드 연방, 무자이아 합중국, 뮤마루 왕국— 그들의 의도까지 생각하면 끝이 없다.

"그럼 먼저 확인해야 할 건, 음……."

말문이 막혔다.

머릿속으로 몇 번이나 시뮬레이션했을 텐데 아이디어가 바로 떠오르지 않았다. 각지에 흩어진 동료에게 어떤 지시를 내리면 좋을까.

'정말로 내가 지휘할 수 있을까?'

회의에 참가하는 요인은 수백 명이다. 관계자를 포함하면 만 명 이상. 그중에서 목표물을 선정하여 동료에게 살펴보라고 명령해야 한다. 게다가 동료에게는 각자 장단점이 있다. 그녀들의 잠복처도 다르고, 적합한 일도 다르다. 그것들도 고려해야 했다.

—생각할 게 너무 많아!

저도 모르게 머리를 싸매고 말았다.

자신은 도저히 할 수 없을 것 같았다.

"……일단 모두의 상황을 확인하는 건 어떨까요?"

그레테가 도움의 손길을 내밀었다.

"으, 응. 그러자."

"지시를 내리기 전에 애당초 무사히 잠복했는지 확인하죠……."

정론이었다.

오히려 기본 중의 기본이었다. 몰랐던 게 부끄러울 정도였다.

"여, 역시 그레테야. 근데 사실 나도 말하려고 했—."

"네……. 이게 오늘의 일정입니다."

사전에 준비해 뒀는지 그레테가 메모지를 건넸다. 버스와 지하철 시간부터 도로의 혼잡도까지 고려하여 멤버들의 장소를 다 돌 수 있는 완벽한 계획이었다.

역시 미리 준비하는 배려심이 대단했다. 주위를 잘 보고 있었다.

그러고 보니, 하고 어떤 생각에 이르렀다.

"저기, 그레테. 저번 임무에서 네가 지휘했었지……?"

"네, 딱 한 번……."

릴리, 지비아, 사라를 이끌어 여성 스파이를 생포하는 데 성공했었다. 그레테의 정확한 지휘로 클라우스를 의지하지 않고서 해낸 것이다.

'솔직히 대신해 줬으면 좋겠어……!'

명백하게 자신보다 뛰어났다. 자신은 롤랜드를 구속할 때 전부 클라우스한테 맡겼고, 육군 정보부와 싸울 때는 모니카에게 도움을 받았으며, 끝내는 적 스파이에게 비웃음당했다.

"괜찮아요……. 티아 씨라면 잘 해낼 수 있어요."

격려해 줬지만 자신감은 가질 수 없었다.

'어쨌든 그레테의 지시를 따르자…….'

한심한 지휘관이긴 하지만, 다른 아이디어는 없었다.

티아와 그레테는 23세라고 사칭하고 있었다. 실제 나이는 둘 다 18세지만, 미성년자로 활동하는 건 여러모로 불편했다. 평소보다 어른스럽게 화장하고 테일러드슈트로 갈아입고서 미타리오의 거리로 나갔다.

이 도시에서 열리는 것은 경제 회의뿐만이 아니다. 그와 병행하여 기업 간의 담합, 정치가의 모금 파티, 군사 문제가 얽힌 밀담 등. 크고 작은 모임을 포함하면 천 개가 넘는 회합이 열리고 있을 터다. 경제 회의가 길어지는 이유 중 하나였다.

정치 경제 쪽으로만 그런 것도 아니다. 문화의 발신지인 미타리오에서는 세계 최첨단의 패션쇼와 영화제도 열렸다.

즉, 아무튼 사람이 많았다. 거의 항상 사람과 부딪치며 걷는 감각이었다.

고층 빌딩이 내려다보는 가운데, 교통 체증으로 길게 줄지은 자동차들 옆을 걸어갔다.

그러자 한 빌딩 앞에 인파가 모여 있는 것이 보였다.

한층 심한 소란에 넌더리가 났다.

아무래도 타국의 외무부 장관이 있는 듯했다. 빌딩의 지하 주차장에 들어가는 공무용 차를 무수한 파파라치가 에워싸고 있었다. 카메라 플래시가 번쩍거렸다.

"장관님, 라일라트 왕국과의 회담을 앞둔 심정은 어떻습니까?"

"가르가드 제국에 대한 유화 정책에 관해 여쭙고 싶습니다."

기자가 자동차의 진로를 방해하며 마이크와 녹음기를 내밀었다.

뒷좌석에 앉은 노인은 지긋지긋하다는 얼굴로 기자들의 질문을 묵살하고 있었다.

'어느 나라든 기자의 포위는 독하구나…….'

집안이 신문사인 티아에게는 익숙한 광경이지만—.

"이봐, 영감님. 이쪽이 질문하잖아. 뭐라고 말 좀 해 봐!"

한 명, 매우 과감하게 반말하는 젊은 기자가 있었다.

아연해져서 시선을 보냈다.

지비아였다. 정장을 삐딱하게 입고서 유리창을 두드리고 있었다.

정도를 지나친 태도에 장관도 당황한 듯했다. 유리창을 살짝 열고서 「자, 자네! 어느 나라의 기자인가!?」 하고 언성을 높였다.

"딘 공화국에서 온 란듐 타임스의 기자인데? 그보다 어제 공개한 부문 회의의 의사록과 오늘 아침 당신의 발언은 모순되지 않아?"

"뭐라고?! 아, 아무렇게나 지껄이지 말게!"

"아니, 그러니까 그 부분을 가르쳐 달— 아, 이봐! 창문 닫지 마! 아프잖아!"

싸울 듯한 기세로 차창에 팔을 집어넣어 마이크를 들이댔다.

그레테가 작은 목소리로 해설해 줬다.

"……지비아 씨는 신문 기자예요. 수습기자라는 신분으로 각국의 정치가나 관료와 부딪치죠."

"응. 체포당하지 않으면 좋겠네."

불안하긴 하지만 잘할 것 같다.

공무용 차는 기자들을 뿌리치고 지하 주차장에 들어갔다. 차를 에워싸고 있던 기자들은 한숨을 쉬며 흩어졌다.

지비아도「이런, 도망쳤네」라며 한숨을 쉬고서 티아가 있는 방향으로 걸어왔다.

스쳐 지나가면서 그녀는 티아의 주머니에 뭔가를 몰래 넣었다.

그리고 귓가에 가볍게 속삭였다.

"장관의 명함 지갑, 훔쳐 왔어. 뭔가에 이용해 줘."

창문으로 팔을 집어넣은 그 짧은 순간에 해낸 모양이다. 누구에게도 의심받지 않고.

그녀는 아무 일도 없었던 것처럼「다음 취재지는 어디더라~?」라고 중얼거리며 혼잡 속으로 사라졌다.

신문 기자 지비아— 상당히 성과를 올려 줄 것 같다.

다음으로 그레테가 안내한 곳은 역과 인접한 레스토랑이었다.

가게 안에는 경묘한 음악이 흐르고 있었다. 레코드를 틀은 건가 싶었는데 라이브 연주인 듯했다. 레스토랑 안쪽에 무대가 있고 재즈 밴드가 악기를 연주하고 있었다. 라이브 연주를 들으며 점심을 먹을 수 있는 것 같았다.

미타리오는 재즈 음악의 본고장이었다. 이런 식당이나 술집은 넘쳐 났다.

재즈 연주를 라이브로 듣는 것은 처음이었다. 정취가 있었다.

잔잔한 피아노 연주에 트럼펫과 색소폰의 음이 중첩되어 하나로 조화되었다. 신선한 체험인데도 어색하게 느껴지지 않는 음색이었다.

티아와 그레테는 무대 바로 옆에 있는 자리로 안내받았다.

눈앞에서 6인조 밴드가 재즈를 연주하고 있었다. 하얀 연미복을 입고 근사한 모자를 쓰고서 트럼펫과 피아노를 연주하는 연주자가 멋있었다. 주위에 있는 다른 손님들도 똑같은 마음인 듯했다. 특히 젊은 여성은 밴드 멤버에게 뜨거운 시선을 보내고 있었다.

그리고 밴드의 오른쪽 끝자락에— 모니카가 있었다.

"……."

위화감 없이 섞여 들어가 있었다.

남성용 연미복을 빼입고 테너 색소폰을 불고 있었다.

"……듣자 하니 거리 라이브 중에 바로 밴드 권유를 받았다고 해요."

이번에도 그레테가 해설해 줬다.

더는 놀랍지도 않았다. 역시 대단하다는 말밖에 안 나왔다.

"정치가의 파티나 친목회에도 초청받는 재즈 밴드예요. 사모님들에게 굉장히 평판이 좋다고 해요……."

모니카는 음악가로서 스파이 활동을 하려는 모양이다.

곡이 끝나자 모니카가 무대에서 내려와 자리로 다가왔다.

"너희 뭐야. 나한테 너무 주목하잖아. 팬이야?"

"아니니까 얼른 돌아가."

"아쉽게도 오늘 밤은 일정이 있어. 높으신 분들이 모이는 파티에서 라이브 공연이 있거든."

모니카는 윙크하고서 다시 무대로 올라갔다. 느끼한 행동이었지만 여성객들은 호의적으로 받아들이고 있는 듯했다.

그녀가 떠난 후 테이블에는 성냥갑이 남겨져 있었다. 안에 든 것은 보고서일까.

색소폰 연주자 모니카— 믿음직한 것은 틀림없어 보였다.

레스토랑에서는 간단한 애피타이저만 즐기고 곧장 나왔다.

점심은 다른 곳에서 먹는다고 했다. 어디일지는 바로 예상이 갔다. 지금부터 찾아갈 소녀의 잠복처만큼은 예전부터 본인이 강한 희망을 내비쳤었다.

점포가 있는 곳은 웨스트포트 빌딩. 톨파 경제 회의가 열리는 곳이었다. 가게 앞에 테라스석이 마련되어 있는 거대한 햄버거 체인점이 그 빌딩의 1층에 있었다.

주문하고 10분 후, 가슴이 큰 웨이트리스가 기운차게 햄버거를 가져왔다.

"치즈 햄버거 세트 두 개 나왔습니다!"

릴리였다.

햄버거 가게의 유니폼을 입고서 씩씩하게 상품을 가져다줬다. 두툼한 소고기 패티가 들어간 햄버거와 산처럼 쌓인 감자튀김, 넘쳐흐를 듯한 콜라. 기운찬 릴리와 정크 푸드는 묘하게 상성이 좋았다.

빨간색과 흰색 줄무늬가 보기 좋은 유니폼도 잘 어울렸다.

거기서 그레테가 릴리를 불러 세웠다.

“저기요, 실례합니다.”

“응? 저한테 볼일 있으신가요? 미타리오 대학 약학부의 유학생이며 현재 자취 중. 알바생에게 주는 햄버거를 노리고 아르바이트를 시작한 리릴린 헵번 18세에게 물어보실 거라도?”

“……전부 직접 해설해 줘서 고마워요.”

그레테가 어이없어했다.

하지만 설명을 들을 것도 없이 릴리의 잠복처는 티아도 알고 있었다. 릴리는 줄곧『햄버거를 마구 먹을 수 있는 곳이 좋아요!』라고 선언했었다.

그때, 가게 쪽에서 릴리를 불렀다.

“어~이, 리릴린. 이거 빌딩 4층의 13회의실에 갖다줘.”

“오, 역시 미타리오 명물. 주문이 자주 들어오네요!”

릴리는 생글거리며 대답하고서 멀어졌다.

아무래도 이 가게는 배달도 하는 듯했다. 바로 위에 있는 웨스트포트 빌딩의 회의실에서 주문이 들어온 것 같았다.

“뭐, 어쨌든 잘 잠복한 것 같아서 안심했어.”

“그러게요……. 다만 한 가지 걱정거리가 있어요.”

"어머. 그러고 보니 아까 릴리를 불러 세웠었지? 뭔데?"

그레테는 릴리가 가져다준 상품을 바라보았다.

"이건 치즈버거가 아니라 피시버거예요……."

"……."

"잘리지 않을지, 조금 걱정돼요……."

시선을 돌리니 마침 릴리가 커다란 배낭을 메고서 배달 나가고 있었다. 「리릴린, 다녀오겠습니다」 하고 말하고서 달려갔다.

배달지는 4층에 있는 13회의실일 터.

릴리가 의기양양하게 탄 것은 지하 주차장으로 가는 엘리베이터였다.

그날 밤, 아파트에 돌아온 티아는 크게 한숨을 쉬었다.

"어쨌든 판은 갖춰졌으려나?"

지적하고 싶은 점은 보였지만, 계획대로일 것이다. 여기서부터는 자신들이 지시를 내리며 보라개미가 있는 곳을 밝혀내야 한다.

저녁은 간단히 먹으려고 통조림 미네스트로네 수프를 데웠다. 통째로 중탕하며 티아는 옆집에 귀를 기울였다. 소리는 나지 않았다. 클라우스는 아직 외출 중인 듯했다.

"오늘 안으로 어떤 지시를 내릴지 생각해야 해. 선생님과 상담하고 싶지만 분명 안 돌아오겠지."

"……네, 또 과로하지 않으셔야 할 텐데요."

그레테가 바게트를 칼로 잘라서 오븐에 올렸다. 불안에 찬 목소리였다.

티아는 웃었다.

"그때는 네가 치유해 주면 돼. 남자가 기뻐하는 마사지를 나중에 전수해 줄게. 선생님도 이번에야말로 너에게 빠질 거야."

"티아 씨……! 아뇨, 스승님…… 감사합니다."

연애에 관해 조언하자마자 그레테의 얼굴이 환해졌다.

"키워드는 서혜부야."

"그러고 보니 저번에 모니카 씨가 티아 씨의 조언을 듣지 말라고 충고했어요."

"무시해."

"스승님, 멋있어요……!"

평소처럼 대화하다 보니 자연스럽게 마음이 누그러졌다. 임무만 신경 쓰다가는 기력이 버티지 못한다.

그때, 아파트 창문에 뭔가가 툭 부딪쳤다.

뭔가를 알아차린 것처럼 그레테가 기뻐하며 창틀로 다가갔다.

"그레테?"

"보스가 바로 정보를 가지고 돌아오셨나 봐요……."

신문지로 싼 돌이 창틀에 올려져 있었다. 시판되는 신문과 완전히 똑같지만, 특수한 잉크로 암호가 적혀 있었다. 8층 창틀에 어떻게 올린 걸까. 던졌나?

그 암호를 읽으며 그레테가 한숨을 쉬었다.

"……어쩌면 예상보다 적과의 접촉이 훨씬 빠를지도 모르겠어요."

"뭐라고 적혀 있어?"

"타국의 스파이가 차례차례 사라지고 있는 모양이에요. 뛰어난 스파이 킬러가 몇 명이나 숨어 있대요."

티아도 바로 암호문을 훑어봤다.

이 미타리오에서 살인과 의문사, 행방불명이 잇따르고 있다고 한다. 피해자 대부분은 정보기관에 소속되어 톨파 경제 회의에 접근한 사람들이었다.

—살해 방법은 다양했다. 척살, 추락사, 자살, 실종, 교통사고. 많았다.

이것이 『보라개미』의 짓인지는 현재 불명이었다. 하지만 살인을 반복하는 흉악한 존재가 숨어 있는 것은 틀림없었다.

동료의 안부가 걱정되었다.

"어, 어쩌면 좋을까?"

"……긴밀히 연락을 취하죠."

그레테의 목소리는 침착했다.

"저의 변장, 그리고 티아 씨의 교섭 능력을 이용해서 동료에게 무슨 일이 생기면 바로 도와주러 갈 수 있도록요. 이번만큼은 보스를 의지할 수밖에 없겠어요."

"아, 알겠어. 당장 태세를 갖추자."

"다만, 할 수 있는 일은 한정되어 있어요……. 다소간은 현장의 대응력에 의존해야 해요."

"그렇지……."

그레테의 말에 이끌린 듯 티아는 창밖을 보았다.

미타리오에 밤이 찾아와 네온이 반짝이고 있었다. 큰길을 둘러싼 광고가 빛나며 이 도시는 잠들지 않는다.

지금 이 순간에도 멤버들은 계속 활동하고 있을 터다.

그리고 임무가 본격적으로 시동하고 2주 후— 티아의 불안은 적중한다.

◇◇◇

—먼저 시작된 곳은 웨스트포트 빌딩 정면에 있는 호텔이었다.

많은 회의 참가자가 사용하는 고급 호텔이었고, 2층에는 술과 가벼운 식사를 즐길 수 있는 바가 병설되어 있었다. 모든 자리가 룸 형식이었고 방음 설비가 갖춰져 있었다. 주위에 알리고 싶지 않은 접대나 밀담을 할 수 있었다. 정치가와 관료, 일류 기업의 최고위층들이 이용했다.

룸마다 가죽 소파와 유리 테이블이 놓여 있고, 천장에서는 휘황찬란한 조명이 빛났다.

거기서 지비아는 스페어립을 먹고 있었다.

매콤달콤하게 양념된 고기를 호쾌하게 입에 넣고 솜씨 좋게 뼈만

발라냈다.

“이야~ 정말 이렇게 후한 대접을 받아도 되나요?”

지비아는 손을 닦고 웃었다.

그녀의 정면에는 풍채 좋은 중년 남성이 앉아 있었다.

“괜찮아, 괜찮아. 너는 내 은인이니까. 마음껏 먹어. 자, 이 메뉴에서 원하는 걸 골라.”

“정말요? 고맙습니다. 그럼 메뉴의 왼쪽에 있는 요리를 위에서부터 세 개.”

“그래그래, 젊은이는 그래야지. 훌륭해!”

남성은 호쾌하게 웃으며 와인을 벌컥벌컥 마셨다.

상대는 뮤마루 왕국의 홍차 메이커 부사장이었다. 톨파 대륙에서 각국에 수출되는 기호품의 관세율을 교섭하기 위해 뮤마루 왕국의 외교관과 함께 이 경제 회의에 참가해 있었다. 그 밖에도 각국에 가공식품 공장을 건설하는 교섭도 진행 중이라고 했다.

유능한 인물이긴 하지만, 그것들의 기밀문서를 전부 가방에 넣고 다니는 허술한 부분이 있었다.

“정말로 난감하던 차였어. 설마 카페에서 가방을 도둑맞을 줄이야. 용감한 네가 되찾아 주지 않았다면 대체 어떻게 됐을지!”

“아니에요. 결국 범인은 체포하지 못했잖아요.”

“괜찮아, 괜찮아. 오늘 밤은 은혜를 갚고 싶어.”

“그럼 독점 취재를 해도 될까요?”

“그래. 괜찮아, 괜찮아.”

"역시 차기 사장님! 배포가 크시네요."

"에이, 사장은 무슨. 아직 부사장이야."

지비아는 어디까지나 신문 칼럼이라는 명목으로 상대를 인터뷰했다. 부사장은 원래부터 이야기하길 좋아하는 성격인 것 같았다. 질문과 관계없는 것까지 나불나불 밝혔다. 지비아의 맞장구에 기분이 좋아져서 빠른 페이스로 술을 마셨다.

부사장이 술을 권했기에 지비아도 딱 한 잔만 마시기로 했다.

"이야~ 취재해 주다니 기쁜데~. 정말 기사로 내 줄 거야~?"

30분이 지나자 상대는 얼큰하게 취해 있었다.

어눌한 목소리에 지비아는 쓴웃음을 지었다.

"당연하죠. 확실하게 기사로 쓸 거예요."

"정말? 지금껏 독점 취재를 한 기자가 많았는데 전혀 신문에 실리지 않았거든."

"……흐응, 자세히 들을 수 있을까요?"

"아니, 나도 몰라. 운이 나쁜 걸까. 나한테 다가오는 기자는 어째선지 연락이 끊어져. 너무하지 않아?"

"……."

지비아는 미간에 가볍게 손톱을 세웠다.

통각을 자극하여 의식을 각성시켰다.

"그런데 이건 다른 질문이지만—."

펜촉을 들었다.

"—부사장님 뒤에 있는 건?"

룸에 있는 것은 지비아와 부사장뿐만이 아니었다.

그 외에도 비서 한 명과 과묵한 남자가 있었다.

몸의 중심이 곧은 남자였다. 옷을 입고 있는데도 탄탄한 근육이 상상이 갔다. 상완 이두근 쪽이 두툼해서 와이셔츠가 터질 것 같았다.

"응? 아아. 이 친구는 바론이야. 전속 드라이버지."

"……위. 저는 신경 쓰지 마십시오."

바론이라고 불린 남자가 고개를 까딱였다.

지비아는 작게 손을 흔들었다.

"목소리는 어둡지만 말은 유창하네요. 현지인?"

"맞아. 원래는 조국에서 전속 드라이버가 올 예정이었는데 식중독으로 쓰러져 버려서 급히 대리를 구했지. 무섭게 생겼지만 운전 말고도 세심하게 신경을 잘 써."

"……위."

부사장이 보여 주듯 담배를 물자 바론이 라이터를 내밀었다. 운전 이외의 시중도 맡기고 있는 듯했다.

"……."

"아, 체격이 좋아서 겁을 줬으려나? 몇 년 전까지는 미들급 복서였거든. 꽤 성적이 좋았다고 했던가?"

"……위. 인대 파열로 은퇴했습니다."

"안타깝단 말이지. 아, 이 부분도 기사가 되는 건가? 너무 마니악하지 않아?"

들뜬 부사장을 사이에 두고서 지비아와 바론은 시선을 교환했다.

그때, 룸에 새로운 와인병이 왔다.

출입구 가까이에 있던 바론이 「……위, 제가 따르겠습니다」 하고 와인을 받았다.

독점 취재는 지비아의 컨디션이 무너지면서 종료되었다.

"으으, 메슥거려……."

"미안해. 과음시켰나 보네."

한 손으로 입을 막은 지비아에게 부사장이 미안해하며 말했다.

"바론, 이 기자님을 집에 바래다줘."

지비아는 황급히 손을 휘저었다.

"아니에요, 괜찮아요."

"괜찮아, 괜찮아. 나는 더 놀다 갈 거니까. 그럼 지면에 기사가 실릴 날이 정해지면 연락해 줘~."

비서와 함께 즐거운 발걸음으로 떠나갔다. 분명 여자가 있는 가게에 갈 것이다.

호텔의 바 앞에는 바론과 지비아만 남았다.

"……위. 이쪽으로."

"미안."

차는 지하 주차장에 있는 듯했다.

지비아는 바론의 유도를 따라 어두운 계단을 비틀비틀 내려갔다. 다리가 휘청거려서 도중에 몇 번 바론과 부딪쳤다. 그는 불쾌해하면서도 지비아를 부축해 줬다.

지하까지 내려가자 지비아는 배수구로 달려갔다.

"우웨엑, 더는 무리야!"

위 속 내용물을 토했다. 룸에서 먹은 것이 전부 역류했다.

지비아 옆에서 바론이 얼굴을 찌푸렸다.

"……위. 물을 가져오겠습니다."

그는 다시 계단으로 돌아갔다. 그리고 가슴 주머니를 뒤지기 시작했다. 하지만 찾는 물건이 없는지 「위」 하며 작게 신음했다.

"이걸 찾아?"

그런 바론의 등에 대고 지비아가 말했다.

그녀의 손에 여러 알약이 있었다.

"수면제. 엄청난 걸 탔네."

"……!"

"급히 토하지 않았다면 위험했어. 누군가의 지시인가? 그 부사장은 아니지?"

지비아가 보기에 바론은 완전히 수상했다.

기자가 사라진다고 부사장이 이야기했을 때, 바론의 표정에 미세한 변화가 있었다. 뭔가 알고 있는 것이다. 게다가 즉석에서 와인에 약품을 탔다. 와인을 따르는 척 병으로 가리고 약을 넣었다.

이 남자, 평범한 드라이버는 아니다.

"자, 경찰에 신고당하고 싶지 않으면 의뢰인이 누군지—."

지비아의 말은 중단되었다.

바론이 등을 돌리고 달려 나갔기 때문이다. 계단을 올라갔다.

당연히 멀뚱멀뚱 보고만 있을 지비아가 아니었다. 그녀는 작게 혀를 차고 바론을 뒤쫓았다. 취기도 컨디션 불량도 연기였다. 훈련으로 단련된 다릿심을 발휘했다.

하지만 바론도 잘 뛰었다.

1층에 도착하자 호텔 종업원을 밀치며 뒷문으로 도망쳤다.

'인대를 다쳤다는 것도 거짓말이군. 저 드라이버, 뭐 하는 녀석이지?'

더더욱 의심스럽게 여기며 지비아도 뒷문으로 뛰쳐나갔다.

호텔 뒤편에는 잡거빌딩이 있었다. 낡은 8층 건물이 우뚝 서 있었다. 바론은 그 외부 계단을 뛰어오르고 있었다.

지비아는 권총을 들고 뒤쫓았다. 이대로 궁지에 몰아서 정보를 캐내는 게 이상적이었다.

상대는 6층으로 도망친 것 같았다. 잠겨 있지 않았나 보다.

「놓칠 것 같아?!」 하고 고함치고서 지비아는 빌딩 안에 뛰어들었다.

아무래도 철거 예정인 빌딩 같았다. 입주자는 없었고, 사업자용 빈방이 늘어서 있었다. 전기는 들어와서 복도에 형광등이 켜져 있었다.

긴 복도에 사람의 모습은 없었다.

'……발소리가 사라졌어. 다른 소리도 안 들려……. 6층 어딘가에 숨었나?'

숨어 있다가 기습하려는 속셈일 것이라고 예측하고서 권총을 쥔 채 복도를 나아갔다.

다음 순간, 외부 계단에서 뭔가가 무너지는 소리가 났다.

이어서 조명이 꺼졌다.

"어?"

얼빠진 소리를 낸 직후에 뒤에서 큰 물체가 움직였다. 반사적으로 옆으로 뛰어서 피했다. 얼굴 바로 옆으로 뭔가가 지나갔다.

"……위."

바론의 조용한 목소리가 들렸다.

즉각 몸을 돌려 거리를 벌리려고 했다. 하지만 얼마 못 가 뭔가에 발이 걸려서 넘어지고 말았다. 앞이 안 보이는 탓이었다. 바닥을 굴러서 빈방으로 도망쳤다.

'말도 안 돼……. 혹시 이거…….'

유인당했다는 걸 깨달았지만 이미 늦었다. 이곳은 바론의 사냥터다.

—완전한 암흑.

빌딩 창문이 막혀 있었다. 바깥에서 빛이 전혀 들어오지 않았다.

아무것도 안 보였다. 아무것도 감지할 수 없었다.

그저 최소한의 소리로 거구가 육박하는 살기만이 있었다!

"……나는 눈이 안 보여도 싸울 수 있도록 훈련을 쌓았어."

중얼거린 후, 아무 소리도 안 나는 시간이 흐르다가 뒤에서 힘차게 주먹이 날아왔다.

지비아가 할 수 있는 일이라고는 직전에 알아차리고서 정통으로 맞는 것을 피하는 것뿐이었다. 몸이 짜부라지는 듯한 충격에 날아갔다.

"암흑 감옥에서 죽어라."

바론의 목소리가 들리고 또 주먹이 날아오는 기척이 느껴졌다. 피할 방도가 없는 보이지 않는 일격이었다.

'위험해……. 진짜 아무것도 안 보여.'

빛이 들지 않는 암흑 속에서 지비아는 죽음을 예감했다.

◇◇◇

—같은 시각. 라일라트 왕국 대사관.

미타리오의 일등지에 있는 대사관에서 파티가 열리고 있었다. 라일라트 왕국의 건국 기념일이라 무자이아 합중국 땅에서도 회의 출석자가 타국의 요인을 초대하여 친목을 다지는 교류회를 열고 있었다.

모니카가 속한 재즈 밴드도 파티장에 초대받았다. 파티를 한층 빛내 달라고 친한 관료에게 의뢰를 받았다. 왕국에 널리 알려진 곡을 재즈로 연주해 달라는 기묘한 요청에 완벽한 연주로 부응했다.

밴드 멤버는 연주를 끝내고 나서도 파티장에 남아 참석자의 환심을 사고 있었다. 가족과 함께 온 사람도 몇 명 있는 것 같았다. 아이와 함께 악기를 연주하며 몸을 흔들었다. 밴드 동료가 말하길, 이런 노력을 쌓아야 다음번에도 초대받는다고 했다.

모니카도 파티장에서 테너 색소폰 연주 기술을 선보였다. 그리고 평소에는 절대 보여 주지 않는 산뜻한 웃음을 남발했다.

"괜찮으시다면 또 파티에 불러 주세요."

그렇게 타국 관료에게 말했다.

확실하게 인맥을 늘리고 있으려니 뒤에서 누군가가 말을 걸어왔다.

"굉장하다, 네 연주. 감동했어."

젊은 여성이 서 있었다.

나이는 모니카보다 열 살쯤 많아 보였다. 어깨를 크게 노출한 드레스를 입고서 긴 금발을 나부끼고 있었다.

「고마워」 하고 모니카는 살갑게 대답했다.

"으음, 너는—."

"미란다야. 아저씨를 따라온 평범한 대학생이지."

그야말로 노는 대학생 같은 경박한 태도로 악수를 청했다.

모니카가 악수에 응하자 미란다는 재미있다는 얼굴로 속삭였다.

"너, 혹시 부자를 노리고 있어? 신데렐라가 되려고?"

"그럴 리가."

어깨를 으쓱였다.

"우리 밴드는 아직 무명이야. 활동을 넓혀야 해."

"응? 꽤 유명한 밴드라고 들었는데."

"그래? 실은 가입한 지 얼마 안 됐어."

가볍게 혀를 내밀며 모니카는 수줍어했다.

미란다는 하얀 이를 보이며 아하하 웃었다.

"우리 잘 맞을 것 같아. 안 그래?"

"앞으로도 잘 부탁드립니다."

"좋은 곳을 소개해 줄까?"

귓가에 속삭였다.

"네가 좋아할 만한, 부자들이 모이는 곳."

재미있겠다, 하고 모니카는 입술을 핥았다.

두 사람은 파티장을 빠져나갔다. 미란다가 안내한 곳은 미타리오의 번화가에서 떨어져 있는 골목이었다. 좁은 술집과 유흥업소가 늘어선 골목을 걸어가니 카페가 하나 있었다.

미란다가 코인을 보여 주자 카페 마스터가 가게 안쪽으로 들여보내 줬다. 지하로 이어진 계단을 내려가니 눈앞에 커다란 문이 나타났다.

문이 열리자 큼직한 홀이 나왔다.

밝은 조명 속에서 50명쯤 되는 사람이 상기된 얼굴로 소리를 높이고 있었다.

그들이 둘러싸고 있는 것은 트럼프, 룰렛, 주사위, 슬롯머신 등의 테이블이었다. 환호성이 일 때마다 섹시한 여성이 대량의 칩을 움직였다.

"불법 카지노인가."

모니카가 슬쩍 웃었다.

"좋은데. 사람의 약점 같은 게 넘쳐 날 것 같아."

포커 테이블에는 펜드 연방의 외무사무 차관과 무자이아 합중국의 제약 회사 사장이 앉아 있었다. 그 밖에도 경제 회의의 출석자가 드문드문 보였다.

미란다가 자랑스레 웃었다.

"괜찮으면 소개해 줄까? 여기서 연주할 수 있도록 손써 줄게. 지배인이랑 아는 사이거든."

"그래? 너 대단하다. 고마워."

"그럼 이거 받아."

미란다가 뭔가를 건넸다.

손바닥만 한 작은 화살이었다. 그것이 세 개.

"음? 다트?"

"응. 한 번쯤은 놀아 줘야 나도 소개하기 편하니까. 해 본 적 있어?"

"글쎄, 어떨까?"

모호하게 대답하고서 미란다를 따라갔다.

홀의 한쪽 구석에 다트보드 두 개가 걸려 있었다. 이 카지노의 주인으로 보이는 남자가 주변에 서 있었다. 얼굴의 오른쪽 절반을 가리는 가면을 쓰고 있었다.

"아주 간단한 놀이야. 과녁에 던지기만 하면 돼."

미란다가 과녁 앞에 서서 몸을 비스듬하게 틀었다.

"이렇게 말이야."

팔꿈치를 거의 고정하고서 다트핀을 투척했다. 세 개 연속으로.

모니카도 대충 규칙은 알고 있었다. 미란다가 던진 핀은 전부 20트리플에 꽂혔다. 가장 점수가 높은 곳이었다. 2cm²도 안 되는 틈새에 핀이 세 개나 꽂혀 있었다.

다트보드 옆에는 커다란 칠판이 걸려 있었다. 그곳에 「180」이라는 숫자가 적혔다.

모니카는 미란다를 따라 옆 과녁 앞에 섰다. 카지노 주인이 히죽 웃은 것 같았지만 무시하고 핀을 들었다. 비스듬하게 몸을 튼 자세로 팔꿈치 앞쪽에만 힘을 줘서 투척했다.

"이렇게 하면 되나?"

모니카도 20트리플에 세 개 연속으로 꽂았다.

미란다의 얼굴이 굳었다.

"……흐, 흐응~ 아주 잘하네."

꽂힌 다트핀은 가면 쓴 남자가 회수했다. 칠판에는 미란다와 마찬가지로 「180」이라고 적혔다.

그 후로도 미란다와 모니카는 교대로 세 개씩 핀을 던졌다. 둘 다 20트리플을 놓치지 않으며 「180」이라는 숫자만 칠판에 나열되었다.

어느새 구경꾼도 늘어나 있었다.

"이 여자들 뭐야……."

"어떻게 된 건지 모르겠어."

"저렇게 좁은 틈새에 보통은 못 맞히잖아."

"이 녀석들, 괴물인가."

모니카와 미란다의 뛰어난 기술에 감탄했다.

"이거 결판은 어떻게 내는 거야?"

7라운드를 마치고 모니카가 물었다. 21연속 20트리플.

미란다도 똑같은 성적을 올리고서 다시 핀을 들었다.

"원래는 8라운드까지 하고 끝나. 합계 점수가 높은 사람이 이기는 거지."

"똑같으면?"

"연장전이야."

"망겜이네. 평생 안 끝나잖아."

질린 척하며 모니카는 핀을 투척했다.

승부는 간단히 연장전에 돌입했다. 일단 칠판을 지우고 새로 「180」이라고 적었다.

9라운드, 10라운드, 똑같은 결과가 이어지자 미란다가 세게 혀를 찼다.

"……쯧. 충고하는데, 너무 점수를 내지 않는 게 좋을걸?"

모니카는 눈을 가늘게 떴다.

"흐응, 왜?"

"내기 다트거든. 지면 승자의 최종 점수×100도니를 내야 해."

모니카는 다시 칠판의 숫자를 확인했다.

10라운드를 끝낸 합계치는 「1800」. 거기에 무자이아 합중국의 통화 100도니를 곱하면 남성 평균 연봉의 네 배 가까이 된다.

—그럴 줄 알았지.

모니카의 입술이 움직였다.

하지만 그녀가 겉으로 드러낸 것은 배신당한 듯한 한심한 얼굴이었다.

“너무해, 미란다. 내기 다트라는 얘기는 못 들었어.”

“이곳에 선 시점에 그런 변명은 인정되지 않아.”

미란다는 의기양양하게 핀을 던졌다. 11라운드에도 그녀의 점수는 「180」.

“지불할 수 없다면 몸으로 갚는 게 어때? 여기서는 스트립쇼도 하거든.”

“그것도 못 들었는데.”

“상당히 잔인해. 아무렇지도 않게 인체를 해체하기도 해. 커다란 단두대로.”

거기서 모니카는 자신을 에워싸듯 선 가면 쓴 남자가 늘어났다는 것을 눈치챘다. 카지노 주인은 이 지역의 갱단일 것이다. 거친 일에 확연하게 익숙했다. 패배한 상대를 구속할 셈인가.

구경꾼들이 상스럽게 웃기 시작했다. 마치 모니카가 패배하길 바라듯이.

해체쇼. 목숨은 보장되지 않을 것이다.

“부자의 취향은 이해할 수가 없네.”

모니카는 어깨를 으쓱이고서 핀을 들었다.

그 모습을 미란다는 가학적으로 웃으며 지켜보았다.

“안타깝게도 가끔 있단 말이지. 너 같은 천재가.”

"……"

"하지만 인간은 신기해. 아무렇지도 않게 노 미스를 달성하는 천재도 목숨이 걸리면 바로 컨디션이 무너져. 물론 나는 훈련되어서 그럴 걱정이 없지만."

"……"

"자, 진실을 알았어도 너는 냉정함을 유지할—."

"반대로 말하면."

헛소리를 무시하고 모니카는 핀을 투척했다.

핀이 꽂힌 곳은 조금도 빗나가지 않은 20트리플이었다.

"—내가 이기면 너는 멋대로 파멸해 준다는 거네. 문제없어. 전혀 문제없어."

"……!"

"마침 잘됐어. 네가 굳이 나를 노린 이유를 듣고 싶어졌어."

모니카는 두 번째, 세 번째 핀도 적중시켰다.

"상대가 안 좋았어. 너한테 이기고 정보를 알아내겠어."

"윽, 기고만장해지지 말아 줄래?"

그렇게 두 괴물의 싸움이 시작되었다.

아무리 라운드가 흘러도 두 플레이어는 실수 없이 계속해서 「180점」을 냈다. 계속 똑같은 곳을 뚫린 과녁이 도중에 갈라져서 교체했을 정도였다.

15라운드까지는 구경꾼들도 환호성을 지르며 열광하고 야유를 보냈다. 하지만 20라운드를 넘어가면서 점차 말을 잃기 시작했다.

알아차린 것이다. 눈앞에서 벌어지고 있는 것은 인간을 초월한 자들의 죽고 죽이는 싸움이라는 것을.

홀에 있는 모든 사람이 모여 마른침을 삼키며 승패의 행방을 지켜보았다.

하지만 27라운드에 변화가 일어났다.

모니카가 던진 세 번째 다트핀이 아래로 빗나간 것이다.

"허—?"

목소리가 새어 나왔다. 핀이 꽂힌 곳은 20싱글.

'빗나갔어……?'

모니카는 아무런 실수도 하지 않았다. 그런데 겨냥이 빗나갔다.

공중에서 뭔가에 의해 방해받았다— 그렇게 생각할 수밖에 없었다.

"응응? 이제 끝이라니 아쉽네."

미란다가 재미있다는 듯 웃으며 세 번째 핀을 들었다.

물론 그녀의 첫 번째 핀도 두 번째 핀도 빗나가지 않았다. 세 번째 핀이 21점 이상을 내면 미란다의 승리가 확정된다.

"거기서 보고 있으렴. 네 인생이 끝나는 순간을."

구경꾼의 기대에 부응하듯 그녀는 승부가 걸린 화살을 투척했다—.

◇◇◇

—지비아와 모니카가 적과 접촉하기 한 시간 전.

웨스트포트 빌딩 3층에서 릴리도 적과 만날 예감을 느끼고 있었다.

햄버거를 배달하며 스파이 일을 하고 있을 때였다.

"아, 죄송해요. 들어가는 방을 또 틀렸어요."

"너는 자주 틀리는구나……."

그렇게 높으신 분들의 어이없다는 눈길을 받으며 그녀는 빌딩 내를 자유롭게 움직였다. 방을 잘못 찾은 척 공작을 벌여 나갔다.

'좋았어, 도청기 세팅 완료예요.'

문을 연 그 잠깐 사이에 테이블 밑에 기기를 설치했다. 멍청하고 얼빠진 웨이트리스라는 역할은 그녀에게 적임이었다. 간혹 진짜로 방을 잘못 들어가서 연기하지 않아도 되었다.

사과하며 방을 나가려고 하니 「이봐」 하고 릴리를 불렀다.

"넵?! 왜 부르시나요?"

조금 긴장하며 대답하자 릴리를 부른 남성이 쓴웃음을 지었다. 합중국 경제산업부의 관료였다.

"그렇게 긴장하지 않아도 돼. 소문을 좀 알고 싶어서 불렀어."

"소문, 이요?"

"응. 혹시 들어 봤어? 미타리오에 나타나는 영웅 이야기. 정말로 곤경에 빠졌을 때, 구원의 손길을 내밀어 준대. 어때? 젊은 애들 사이에서 화제이지 않아?"

전혀 모르는 이야기였기에 「글쎄요, 저는 이 나라에 온 지 얼마 안 돼서……」 하고 오리발을 내밀었다.

혹시 몰라서 무슨 소문인지 자세히 들어 봤지만 도시 전설 같은 이야기였다.

—영웅.

—절망의 구렁텅이에 있는 인간에게만 보이며 희망과 자유를 주는 존재.

그런 정보가 도시 내에 돌고 있는 듯했다.

릴리는 「자유를 준다고요? ……항구에 있는 여신상처럼요?」 하며 고개를 갸웃했다.

남자는 「그래그래. 그런 존재일지도 몰라」 하고 웃었다.

멋진 소문이기는 하지만 임무와는 관계없을 것이다. 일단 자세히 듣고서 방을 떠났다.

영웅의 모습을 멍하니 상상하며 엘리베이터에 타니—.

"응?"

등골이 오싹해졌다.

구체적으로 뭔가를 목격하지는 않았다. 하지만 공기 흐름의 변화에서 감지되는 것이 있었다.

릴리는 메마른 입술을 핥았다.

'……경험을 쌓으면서 저도 스파이의 『감』이라는 것을 터득한 거겠죠.'

생각해 보면 클라우스는 『그냥』 아는 직감으로 임무를 소화했다.

자신도 비슷한 감각을 익힌 듯했다.

'적이…… 온다!'

심호흡하고서 적의 습격에 대비했다.

엘리베이터에서 내렸을 때는 아직 적의 모습이 보이지 않았다.

직감이 틀리지 않았음을 확신한 것은 가게로 돌아갔을 때였다.

"아, 리릴린. 너한테 손님이 왔어. 물어보고 싶은 게 있다던데."

아르바이트 선배가 그렇게 고했다.

굳이 자신을 찾아올 상대는 없었다.

"먼저 퇴근해도 돼. 바로 빌딩 뒤편으로 가 줄래?"

"네! 알겠습니다."

릴리는 고개를 끄덕이고 가게 안쪽에 있는 로커로 향했다.

'설마 이렇게 당당히 덤빌 줄은 몰랐어요…….'

가방의 이중 바닥에 숨긴 권총을 꺼냈다. 그것을 레그 홀스터에 수납하고 웨이트리스 유니폼의 치마로 가렸다.

릴리는 뺨을 찰싹 때려 각오를 다졌다.

'괜찮아요. 선생님에게 전수받은 기술로 역습하는 거예요……!'

질 수는 없다.

다른 소녀들도 곤경에 맞서고 있을 터다. 리더인 자신이 제일 먼저 극복해야 하지 않겠는가.

기합은 충분했다.

빌딩 뒤편으로 가니 정장 위에 코트를 걸친 두 남녀가 서 있었다. 릴리가 아는 사람은 아니었다. 날카로운 눈초리를 보면 일반 시민이 아닌 것은 명백했다. 얼굴에는 폭력 세계 특유의 엄격함이 새겨져 있었다.

피부로 알 수 있었다. —상당한 실력자다.

릴리는 숨을 후우 내쉬고 치마 위로 권총을 잡았다.

"당신들인가요? 정면으로 덤비는 정정당당함은 인정—."

"안녕하십니까. 미타리오 경찰서에서 왔습니다."

"응?"

생각지 못한 단어가 나와서 릴리는 고개를 갸웃했다.

경찰?

확실히 두 남녀의 풍모는 딱 형사 같았다. 경찰수첩을 들고 있었다.

"……."

일단 입을 다물고 상황을 파악하고자 했다.

결론은 금방 나왔다.

"그렇군요. 설마 형사 행세를 할 줄은 몰랐어요."

릴리는 코웃음 쳤다.

"하지만 그런 변장을 제가 간파하지 못할 것 같은가요?"

"허?"

"응?"

이야기가 맞물리지 않았다. 상대는 진심으로 의아해했다. 연기는 아닌 것 같았다.

역시 릴리도 알아차렸다.

"호, 혹시 진짜 경찰이에요?!"

"너는 무슨 소릴 하는 거야……?"

남성 경찰이 얼굴을 찌푸렸다.

"으음~ 단적으로 말해서 네게 살인 용의가 걸려 있어. 같이 가

줄래?"

"살인 용의?!"

"목격 정보가 있거든. 그제 두 명을 권총으로 죽였다고. 이미 영장도 나왔어."

여성 경찰이 품에서 서류를 꺼내 보여 줬다.

틀림없이 진짜였다. 영장에는 무자이아 합중국 재판소가 발행했다는 날인이 있었다. 그것은 『리릴린』의 신병 구속을 인정하고 있었다.

하지만 물론 릴리는 살인을 저지른 적이 없었다.

마침내 이해했다. 십중팔구 적의 짓이다.

"이, 이건 누명이에요! 가르가드 제국 스파이의 음모예요!"

허둥지둥 외쳤지만 형사들은 얼굴을 찌푸릴 뿐이었다.

"……이 아이 괜찮은 걸까?"

"약물 감정이 필요하겠어요."

"정말이라니까요!"

"얘, 거짓말할 거면 좀 더 그럴듯한 거짓말을 하렴. 평범한 유학생의 아르바이트를 제국의 스파이가 왜 노리겠어?"

"그, 그건 말이죠……."

당연히 자신이 스파이라서 그렇다고 말할 수도 없었다.

"으음……."

릴리는 귀엽게 웃었다.

"반대로 왜라고 생각하세요?"

"체포하자."

"체포해요."

"너무 무자비하지 않아요?! 가, 가까이 오지 마세—."

슬금슬금 다가오는 것을 보고 릴리는 팔을 휘저었고 팔과 자신의 허벅지가 부딪쳤다.

툭.

레그 홀스터에 꽂아 뒀던 권총이 땅에 떨어졌다.

""""…………."""""

굴러가는 권총을 바라보며 세 사람은 침묵했다.

남성 형사가 헛기침을 하고서 자신의 손목시계를 바라보았다.

"으음, 리릴린 헵번."

"……네."

"20시 47분, 살인 용의로 체포."

수갑이 양팔에 철컥 채워졌다.

릴리, 체포.

지비아, 모니카, 릴리— 3인 3색의 궁지에 빠져 있었다.

◇◇◇

"……."

티아는 아파트 창가에 서서 미타리오의 야경을 바라보고 있었다.

불길한 예감을 지울 수 없었다.

멤버들에게서 정기 보고가 오지 않았다. 그녀들은 하루에 한 번, 각자의 방법으로 정보를 보냈다. 티아와 그레테는 그 정보를 토대로 다음 지시를 내릴 예정이었다.

하지만 약속 시간이 지났는데도 동료에게서 정보가 오지 않았다.

문제가 발생한 것이다. 지비아, 모니카, 릴리에게 예상치 못한 사태가 벌어졌다.

"괜찮을까……? 그레테, 어떻게 판단하면 좋을 것 같아?"

식탁에 펼친 지도를 바라보는 그레테에게 물었다.

그녀도 심각한 표정을 짓고 있었다.

"음…… 저희에게는 공통된 약점이 있으니까요. 그게 걱정이에요."

"공통된 약점?"

그런 게 있었나?

의심의 시선을 보내자 그레테가 고개를 끄덕였다.

"저희는— 지키는 훈련을 안 했어요."

"아아……."

납득이 가는 약점이었다.

평소에 중점을 두는 것은 클라우스를 공략하는 훈련이었다. 이미 판명된 적의 정보를 모아서 돌격할 뿐이었다. 정체불명의 적으로부터 몸을 지키는 기술은 단련하지 않았다.

"그래서 적에게 공격받았을 때, 저희는 약할지도 몰라요."

"……!"

아네트 사변이 떠올랐다.

아네트 엄마의 진의를 간파하지 못하고 계속 농락당했었다. 육군 정보부의 포위망을 돌파한 반면, 적의 책략에 당한 씁쓸한 경험이 있었다. 그레테가 지적한 대로, 적의 공격으로부터 몸을 지킨 경험이 너무 없었다.

마찬가지로 동료도 질지 모른다.

불길한 상상이 머리를 스쳐서 저도 모르게 입술을 깨물고 말았다.

"……걱정하지 마세요. 분명 적을 잡아서 정보를 가지고 돌아올 거예요."

그러자 그레테가 미소 지었다.

"그걸 위한 대책은 준비해 뒀어요……. 작은 스파이들의 커다란 힘을."

티아는 떠올렸다. 거리를 돌아본 그레테가 판단한 책략을.

그녀는 상냥하게 고개를 끄덕였다.

"그리고 무엇보다도 저희가 진가를 발휘하는 건—."

◇◇◇

그레테의 책략대로 세 전장에 변화가 생겨났다.

웨스트포트 빌딩 뒤편— 경찰에게 연행당해 경찰차에 태워지는 릴리 곁에서.

"으으으으으, 제국 스파이의 책략이에요. 모함당한 거예요."

"아직도 음모론을 주장하는 거니……?"

진짜로 울기 시작한 릴리에게 여성 형사가 말했다.

"그런데 얘. 등에 메고 있는 인형은 뭐야?"

네? 릴리가 고개를 갸웃했다.

고개를 뒤로 돌리자 고양이 인형이 등에 걸려 있는 것이 보였다.

대체 누가 둔 걸까.

이상하게 여기고 있으니 인형이 갑자기 연막을 내뿜었다.

"릴리 누님! 나님이랑 도망쳐요!"

연기 속에서 즐거운 목소리가 들렸다.

전기 충격기 소리가 파지직 울리며 주위에 있던 형사가 쓰러졌다.

릴리는 자신을 잡은 손이 이끄는 대로 달렸고, 아네트와의 도주극이 시작됐다.

골목에 있는 불법 카지노— 모니카와 미란다의 다트 승부에서.

"윽!"

미란다가 27라운드에 세 번째로 던진 핀은 살짝 위로 빗나갔다.

점수는 모니카와 똑같은 20싱글. 이로써 동점이 되며 재연장이 결정되었다.

미란다는 새빨개진 얼굴로 외쳤다.

"쥐, 쥐가 있었어! 방금 내 복사뼈에 뭔가가 달려들었어!"

"오, 추한 변명이야."

마치 계산대로 됐다는 듯 모니카가 놀렸다.

속으로는 동료에게 찬사를 보내고 있었다. 넘쳐 나는 구경꾼들 속에서 그녀는 주먹을 움켜쥐고 있을 터다.

'나이스, 사라. 여기까지 숨어들다니 배짱 있잖아.'

몰래 엄지를 치켜세웠다.

구경꾼들 속에 섞여 몰래 쥐를 회수한 사라가 미소 지었다.

오피스 빌딩의 암흑 공간— 지비아와 바론의 결투에서.

본래 그것은 피할 수 없는 주먹이었다.

훈련을 받은 지비아는 어두운 곳에서도 문제없이 행동할 수 있지만, 빛이 전혀 없는 암흑이라면 이야기가 달랐다. 시각이 차단되면 대처할 방도가 없었다.

소리를 감지하여 육박하는 바론의 주먹은 틀림없이 필살의 일격이었다.

—누군가가 뒤에서 잡아당기지 않았다면 말이다.

그 자리에 넘어져 아슬아슬하게 공격을 피했다. 커다란 주먹이 눈앞을 통과했다. 피한 후, 자신을 도와준 사람이 팔을 잡고 이끄는 대로 달리기 시작했다.

하지만 도와준 사람도 암흑 속에서 아무것도 안 보이는지 벽에 격돌했다. 쿵 소리가 났다.

「불행……」 하고 에르나가 신음했다.

"아니, 전혀 안 불행해. 최고야."

지비아는 그녀의 머리를 쓰다듬고 벽에 등을 붙였다. 방의 구석까지 오면 상대가 공격해 오는 방향은 제한된다.

"……위, 조력자인가."

어둠 속에서 바론의 목소리가 들렸다. 냉혹한 킬러의 살기와 함께.

"하지만 아무것도 바뀌지 않아. 너희는 이 암흑 감옥에서 도망칠 수 없어."

그랬다. 압도적으로 불리하다는 것은 변함없었다.

어둠 속에서 자유자재로 움직일 수 있는 복서와 죽고 죽이는 싸움— 위기 상황이라고 해도 과언은 아니다.

하지만 지비아는 동요하지 않았다. 무서워할까 보냐. 바론보다 훨씬 강한 남자와 싸워 왔다.

"아쉽게 됐네. 첫 공격으로 우리를 해치우지 못한 시점에 당신이 진 거야."

지비아는 씩 웃으며 총을 들었다.

공교롭게도 지비아가 꺼낸 말은 다른 장소에서 그레테가 꺼낸 말과 완전히 똑같았다.

"언제든 우리가 진가를 발휘하는 건— 공격할 때거든."

미타리오의 세 전장에서 소녀들의 반격이 시작되려고 했다.

3장 영웅

골목의 지하에 있는 불법 카지노— 손님도 종업원도 격렬한 싸움에서 눈을 떼지 못했다.

청은발 소녀 모니카, 노는 여대생 미란다.

27라운드도 동점이었다. 27라운드에 모니카가 세 번째로 던진 다트핀이 20트리플에서 빗나가며 다들 마침내 결판이 나겠다고 생각한 순간에 미란다의 다트핀도 빗나갔다. 하나를 제외하고 둘 다 최고 득점을 내고 있었다.

합계 점수는 둘 다 「4820」.

이 시점에 패자가 내야 할 돈은 48만 도니였다. 진다면 파산은 확실했다. 기다리고 있는 것은 인체 해체 스트립쇼다.

목숨을 건 연장전이 속행되며 모든 관중이 마른침을 삼켰다.

그런 와중에 모니카는 앞머리를 만지작거리며 전략을 세우고 있었다.

'상황이 조금 안 좋아…….'

27라운드의 세 번째 시도 때.

모니카가 던진 핀이 어째선지 아래로 빗나갔다.

'원인은 바람일까. 공조기에 수를 썼어……. 이곳 주인과 미란다는 한통속인가……. 곤란한데. 사라의 쥐도 이제 경계하고 있을 테고…….'

어쨌든 다음에 또 빗나가면 모니카는 패배할 것이다.

속임수를 타파하자. 미란다에게 승리하여 그녀의 배후에 숨은 인물의 정보를 빼앗는 거다.

"안 던질 거야?"

미란다가 의기양양하게 웃었다.

그녀는 이미 28라운드를 마쳤다. 당연히 노 미스. 점수는 「180」이었다.

"겁먹었어? 던졌을 때 또 핀이 빗나가지 않으면 좋겠네."

"……역시 네가 한 짓인가."

"글쎄? 뭘 말하는 거야? 하나 가르쳐 줄게. 여기서는 말이지, 과녁에 꽂힌 결과가 전부야."

"걱정하지 않아도 돼. —이미 공략법은 찾았어."

상대가 도발하니 오히려 냉정해졌다.

모니카는 다트핀 세 개를 움켜쥐고 과녁 앞에 섰다.

과녁을 응시하자 정면에 먼지가 날리고 있었다. 공중에서 불규칙한 변화를 보였다. 역시 모니카의 과녁 앞에만 바람이 불고 있는 듯했다.

바람을 읽을 수는 없었다.

모니카가 선택한 것은 무섭도록 간단한 해법이었다.

「허?」 하고 구경꾼들이 멍해졌다.

원래 같았으면 말도 안 되는 행위였다. 모니카는 양손을 높이 들었다. 그리고 왼쪽 무릎을 굽혀 허리까지 올렸다. 몸을 뒤로 기울여 반동을 줬다.

아연해하는 분위기 속에서 모니카는 힘껏 팔을 휘둘러 다트핀을 던졌다.

텅, 큰 소리가 울렸다. 핀은 노린 대로 과녁을 꿰뚫었다.

「오, 잘 날아갔네」 하고 모니카는 웃었다.

눈앞에서 벌어진 기적을 보고 구경꾼들은 크게 경악했다.

그들은 무자이아 합중국의 국민적 스포츠를 떠올리고 있었다.

미란다가 얼떨떨해했다.

“너, 그거…….”

“어제 텔레비전 중계를 봤거든. 와인드업 투법이라고 하지?”

야구의 투구폼이었다.

전신의 신축성을 이용하여 오버스로로 다트핀을 던졌다. 투수가 던지는 강속구처럼 모니카의 다트핀도 바람을 갈랐다.

이 방식이라면 어떤 방해도 의미가 없다.

두 번째, 세 번째 시도에도 다트핀은 호쾌한 소리를 내며 20트리플을 꿰뚫었다.

“——!”

미란다가 말을 잇지 못했다.

구경꾼도 마찬가지였다. 다트 상식을 벗어난 투척폼이었다. 제어 따위 될 리가 없다.

“이런 기적이…… 계속될 리 없어!”

미란다가 비명을 질렀다.

"계속될걸?"

그 후로 모니카가 예고한 광경이 그대로 펼쳐졌다.

29라운드, 30라운드, 31라운드, 32라운드, 모니카는 오버스로 투척폼으로 최고점을 냈다. 미란다도 정확한 폼으로 다트핀을 던지며 점수를 내주지 않았다.

이렇게 되니 구경꾼들의 마음은 자연스럽게 모니카 쪽으로 기울었다. 본 적 없는 다트 기술을 보여 주는 모니카의 플레이에 마음을 빼앗겼다. 완벽하긴 하지만 단조로운 미란다의 투척은 점차 주목받지 못하게 되었다.

모니카가 던질 때마다 환호성이 일었다.

홀은 다시 열광을 되찾았다.

그리고 33라운드, 구경꾼들은 한층 더 들끓게 되었다.

"이래서는 평생 승부가 안 나겠어."

모니카가 제안했다.

"다음부터는 세 개를 동시에 던지는 게 어때?"

"……무슨 바보 같은 소리야?"

"쫄았어? 나는 여유롭게 가능한데."

말이 끝나기가 무섭게 모니카는 다트핀 세 개를 한꺼번에 쥐고 오버스로로 투척했다.

모든 핀이 빗나가지 않고 꽂히며 재차 점수는 「180」.

한층 대단한 신기에 구경꾼들이 열화와 같은 박수를 보냈다. 모니카는 손을 흔들어 관객을 부추겼다.

자연스럽게 미란다의 플레이에 기대가 모였지만—.

"……나는 안 해. 그런 곡예."

그녀는 정석대로 하나씩 던지기를 선택했다. 무난하게 최고점을 획득했다.

야유가 일었다.

겁쟁이라며 미란다를 조롱했다.

34라운드, 35라운드, 36라운드, 모니카는 세 핀을 동시에 던져 최고점을 획득하며 구경꾼의 성원에 부응했다.

반대로 미란다에게는 욕이 쏟아졌다. 재미없는 그녀의 투척을 방해하듯 쫄지 말라며 야유를 보냈다.

이러고 나니 미란다도 던지기 힘든 것 같았다. 이마에 땀이 맺히기 시작했다.

모니카는 가차 없이 추격타를 날렸다.

'지금이야, 사라.'

미란다가 집중력을 잃었다고 보고 수신호를 보냈다.

방관자들의 시야 틈새를 누비며 쥐 한 마리가 발치를 달려갔다. 그리고 다트핀을 던지기 직전이었던 미란다의 왼발로 완벽한 타이밍에 달려들었다.

이걸로 결판이 났네. 그렇게 모니카도 승리를 예상했다.

"—윽!"

하지만 미란다는 흔들리지 않았다.

예상을 뒤집고 세 번째 핀도 20트리플에 명중했다.

"……!"

모니카는 숨을 삼켰다.

미란다의 발뒤꿈치에서 피가 배어나고 있었다. 쥐가 이를 세워 물었기 때문이다.

하지만 그녀는 개의치 않았다. 야유도, 사라의 기습도.

"의외라는 표정을 짓고 있네? 이겼다고 생각했어?"

"……."

"소용없어. 어떻게 흔들어도 나한테는 안 통해."

대화하며 미란다는 다음 핀을 들었다.

37라운드. 그녀는 하나하나 신중하게 투척했다.

"나는 말이지, 몇만 번, 몇십만 번을 던지며 노력했어. 네가 뭘 하든 나는 내 노력을 믿으면 돼."

1라운드 때부터 한결같은 리듬, 속도, 궤도였다.

마치 정밀 기계처럼 완전히 똑같은 투척을 반복했다.

"노력이라. 그게 나와의 차이란 거구나."

반면 모니카는 세 개를 동시에 던져서 순식간에 라운드를 끝냈다. 누구도 흉내 낼 수 없는 슈퍼 플레이였다.

두 사람은 대조적인 폼으로 연장전을 이어 나갔다.

38라운드.

"맞아. 그래서— 지치지 않아."

미란다는 웃었다.

"공략법은 알았어. 네가 세 개를 동시에 던지는 곡예를 계속하는 이유는 퍼포먼스가 아니야. **던지는 횟수를 줄이기 위해서지.** 그 폼은 팔에 상당한 부담을 주니까."

"……."

"언젠가 실수해. 어떤 천재든 간에 피로로부터는 도망칠 수 없어."

정곡을 찌르는 말이었다.

방해하는 바람을 뚫기 위해 계속 힘껏 던져야 하는 모니카. 정석대로 담담히 던지면 되는 미란다. 누가 먼저 지칠지는 명백했다.

39라운드, 40라운드, 41라운드.

"슬슬 힘들지 않아?"

"그건 너도 마찬가지잖아?"

"아까도 말했을 텐데? 나는 지치지 않아."

42라운드, 43라운드, 44라운드.

"너는 모르겠지……. 내가 얼마나 오랜 시간 이 기술을 갈고닦았는지……. 지친다고? 그럴 리가 없잖아. 천 번을 던져도 빗나가지 않아."

"어째서 그렇게까지……?"

"—격통 때문에."

"격통?"

"머릿속에서 남자가 속삭여……. 【단련을 계속하세요】라고……. 거역하면 격통이 찾아와……. 그 남자의…… 마음을 망가뜨리는 아픔이 찾아와……. 나는 계속 던져야 해……. 모든 것을 희생해서라도…… 그렇게 운명이 정해졌어."

45라운드.

"……지옥이야. ……하지만 몸이 멋대로 움직여. ……아픈 건 싫으니까, 절대로…… 무서워서 눈물이 나니까…… 그러니까 이겨야 해……."

"……."

"나는 믿어. 노력을 거듭하면 어떤 역경이든 극복할 수 있어!"

46라운드를 끝내고 모니카는 한숨을 쉬었다.

대화하면서 조금씩 흑막의 모습이 보이기 시작했다.

모니카는 자신의 오른팔을 주물렀다. 계속 센 척할 수는 없다. 미란다가 예측한 대로 슬슬 피로가 쌓이기 시작했다. 익숙하지 않은 운동을 계속해서 근육이 굳었다.

—형세는 불리했다. 상대는 지치지도 않는다. 그리고 어떻게 흔들어도 통하지 않는다.

장기전이 되면 모니카의 체력이 소모될 뿐이다.

47라운드는 전술을 바꿀 수밖에 없었다.

동시에 던지는 것을 그만두고 다트핀을 하나만 쥐었다.

"응? 다시 한 개로 돌아가는 거야?"

미란다가 비웃었다.

"뭐, 그렇지."

"피로 때문에 실수하는 게 무서운 거지? 하지만 그건 던지는 횟수를 늘리는 악수이지 않을까?"

실패할 위험을 피하기 위해 세 개를 동시에 던질 수는 없다. 하지만 한 라운드에 세 번이나 던져야 하는 것은 장기전에서 가혹한 선택이었다.

모니카는 자조적으로 웃었다.

'아아~ 릴리처럼 독이라도 있으면 편하게 이길 텐데.'

없는 것을 가지고 싶어 하는 생떼였다. 하지만 릴리라면 역전할 수 있을 터다. 자신에게만 안 듣는 독가스라는 반칙을 쓰면 미란다를 공략할 수 있다.

—모니카에게는 없었다.

일단 모니카에게도 특기다운 특기는 있었다. 『도촬』. 그것이 동료에게도 비밀로 하고 있는 모니카의 힘이었다. 남다른 연산 기술과 기계 같은 정밀 동작, 때로는 거울의 반사를 이용하여 움직이는 타깃을 포착한다.

스파이 세계에서는 귀하게 여겨지는 스킬이다. —하지만 그저 기술이다.

특이 체질도 아니고, 출신과 관련 있는 특별한 능력도 아니었다.

강력하다고 말하기는 어려운 어중간한 특기일 뿐이었다.

'이런 하찮은 스킬로 나는 잘도 싸우고 있구나.'

자조하며 다트핀을 계속 던졌다.

48라운드, 49라운드, 대결은 이어졌다.

50라운드의 두 번째 시도, 모니카의 투척에 이변이 나타났다.

"윽!"

던진 순간 모니카는 얼굴을 찡그리며 오른팔을 잡았다.

다트핀은 우측 상단으로 빗나갔다. 꽂힌 곳은 1싱글. 점수는 고작 「1」.

"마침내 한계네."

반면 미란다는 두 번째 시도까지 확실하게 20트리플에 던졌다. 즉, 그녀의 세 번째 핀이 빗나가지 않는다면 모니카의 패배가 확정된다.

합계 점수는 약 9천. 당연히 지불할 수 있는 금액은 아니었다.

"멋진 순간이야. 노력이 재능을 능가하다니, 정말 기분 좋아."

미란다는 여유롭게 웃으며 핀을 들었다.

결판이 나려고 했다.

구경꾼이 술렁였다. 그런 대중들 속에 있는 사라의 얼굴이 보였다. 열심히 까치발을 들고서 입을 뻐끔거려 메시지를 전했다.

"모니카 선배, 도망쳐요!"

모니카가 생각하기에도 그 선택은 타당했다. 꼬리를 말고 도망치면 된다. 자존심 따위 버리면 된다. 가면을 쓴 검은 옷들이 이미 모니카를 에워싸고 있지만, 탈출할 가능성은 근소하게나마 남아 있었다.

그러나 모니카는 오른팔을 잡은 채 움직이지 않았다.

"노력만으로는 안 돼."

확실하게 고했다.

동작을 멈춘 미란다에게 모니카는 말을 이었다.

"네가 한 단련은 부정하지 않아. 하지만 그것만으로는 부족해."

미란다는 눈썹을 찌푸렸다.

"갑자기 무슨 말을 꺼내는 거야……?"

"짜증나. 네가. 너의 개 같은 가치관이."

"뭐?"

"노력으로 어떤 역경이든 극복할 수 있다고? 너 바보야? 아픔으로 가득한 이 세계에 환경이나 재능이 따라 주지 않아서 목숨을 잃는 사람이 얼마나 많은데."

모니카는 세계 최강이라고 자칭하는 남자를 떠올렸다.

그는 알고 있을 터다. 개인이 맞설 수 없는 부조리함을. 속수무책으로 죽은 사람들을. 단련할 기회조차 얻지 못한 아이들을. 재능이 없어서 죽은 생명을.

그래서 소녀들과 만났을 때 말했다.

너희는 무한한 가능성을 간직하고 있다고.

처음부터 그가 존중한 것은— 재능이었다.

"노력만으로는 절대로 넘을 수 없는 벽이 있어."

생각해 보면 바로 알 수 있다.

평범한 사람이 그저 열심히 노력한다고 클라우스를 이길 수 있을까? 답은 「아니오」다.

'그 남자를 보면 노력의 한계 같은 건 바로 깨닫는다고……!'

그것이 요 몇 달간 모니카가 배운 것이었다.

모니카는 혀를 찼다.

"불쾌해. 너도 천재면서 보통 사람처럼 행동하지 마."

"……헛소리는 끝났어? 마지막으로 흔들어 보려고 했나 본데."

미란다는 일소에 부치고서 다트핀을 던졌다.

"소용없어. 이걸로 게임 끝이야!"

핀이 미란다의 손을 떠난 순간, 모니카는 다트핀을 들었다.

"네가 진 원인을 가르쳐 줄게. 너는 노력이 아니라— 자신의 재능을 믿어야 했어."

미란다는 틀렸다.

도발에 넘어가서 세 번째 핀을 서둘러 던진 것뿐만 아니라. 마지막까지 노력에 매달렸다. 그래서 그녀는 세 번째 핀도 똑같은 폼으로 던지기를 택했다. 같은 발사점. 같은 속도. 같은 궤도.

만약 미란다가 아주 조금이라도 자세를 바꿨다면 결과는 달라졌을 터다.

자유자재로 형태를 바꾸는 모니카에게 똑같은 폼으로 승부를 걸다니 너무나도 경솔하다!

같은 타이밍에 모니카도 세 번째 핀을 투척했다.

목표는 과녁이 아니라— 미란다의 다트핀이었다.

"뭐야?!"

미란다가 비명을 질렀다.

피로는 연기였다. 모니카의 체력에는 아직 여유가 있었다. 그 여유를 전부 내버리며 던진 다트핀은 맹렬한 속도로 날아가 미란다의 핀을 격추시켰다. 그러면서 튕겨 나간 모니카의 핀은 궤도가 틀어지며 공중에서 회전했다.

그 핀의 행방을 보며 모니카는 회상했다.

'노력에는 한계가 있어……. 평범한 사람은 천재를 웃돌 수 없어…….'

클라우스와 만나고 모니카가 통감한 것.

차원이 다른 인간과 마주하고 깨달은 것이었다.

'하지만 클라우스 씨는 나를 뽑았어. 그런 주제에 수없이 칭찬해.'

진심에서 우러나온 것처럼 그는 계속 말했다.

몇 번이나 『—극상이야』라고.

'그렇다면 인정해야지 어쩌겠어. 내가 천재라는 걸.'

모니카가 최후에 믿은 것은 자신의 재능이었다.

150번이나 기계처럼 변함없는 미란다의 투척을 보고서 고안해낸 초고난도 기술.

모니카는 확신했다. 나라면 실현할 수 있다고.

미란다의 다트핀을 격추시킨 모니카의 핀은 허공을 날아 겨냥한 위치로 향했다. 1차 시도 때 던진 핀에 포개지듯 세 번째 핀이 과녁에 꽂혔다.

"말도 안 돼……."

"네가 말했잖아? 여기서는 과녁에 꽂힌 결과가 전부라고 말이야."

50라운드가 종료됐다.

모니카의 최종 점수는 「8901」. 미란다는 「8900」.

관중이 함성을 질렀다. 거의 두 시간에 걸쳐 펼쳐진 격전에 마침내 종지부가 찍혔다. 뒤쪽에서 사라가 그렁그렁한 눈으로 박수를 보내고 있었다.

미란다가 무릎을 꿇으며 주저앉았다.

그런 그녀를 내려다보고서 모니카가 고했다.

"내가 이겼어."

"……윽."

"자, 돈을 내 줄래? 무리라면 스트립쇼로 벌어 와."

미란다의 표정이 일그러졌다.

모니카는 선고했다.

"싫다면 내가 돈을 빌려줄게. 너에게 지시를 내린 고용주의 정보와 맞바꿔서."

상대에게는 명령을 내린 흑막이 있다. 조금이라도 수상한 기색을 보이는 자가 있으면 처리하라고 명령했을 것이다. 만약 흑막이 『보라개미』라면 단숨에 가까워질 수 있다.

그렇게 기대하며 미란다가 말하기를 기다렸지만—.

—미란다는 갑자기 다트핀으로 본인의 목을 찌르려고 했다.

"……!"

모니카도 경악해서 곧장 그녀의 팔을 잡았다.

"뭐 하는 거야? 죽을 필요는 없어!"

"안 돼……."

미란다는 고개를 가로저었다.

"그렇게 정해져 있어……."

"무슨 말이야?"

"지면 죽으라고…… 그 사람이 말했어……. 안 그러면 아픔이 와……. 벌 받게 돼……. 싫어……. 죽는 게 나아……. 더는 몸이 말을 안 들어……."

제지하는 모니카에게 저항하며 미란다는 계속 자진하려고 했다.

울면서 다트핀으로 목을 찌르려는 행동을 멈추지 않았다.

"벌 받는 건 싫어……."

"——."

몸 안쪽에서 분노가 솟구쳤다. 마침내 깨달았다.

미란다는 그저 일반 시민이다. 흑막에게 고문받아 병정으로 개조된 것에 불과하다.

진짜 그녀는 놀기 좋아하고 다트 재능이 있는 친근한 여대생일 터다.

목에서 피를 흘리며 미란다는 정신이 나간 것처럼 중얼거렸다.

"……아아, 영웅은 안 오는 걸까?"

"뭐?"

"예전에 누군가가 가르쳐 줬어. 절망의 구렁텅이에 있을 때, 구해 줄 영웅이 반드시 나타난다고. 역시 거짓말이었던 걸까……? 그 말이 줄곧 귓가에 남아 있는데……."

마치 동화 같은 이야기를 했다.

슬슬 한계겠다고 판단했다.

모니카는 손날로 미란다의 목을 쳐서 기절시켰다. 하지만 혼절하고서도 그녀는 다트핀을 세게 움켜쥐고 있었다. 그것이 사명이라는 듯이.

"치료 부탁해. 한통속이지? 또 자살하려 들면 말려 줘. 내 몫은 필요 없어."

모니카는 불법 카지노의 종업원들에게 말했다.

하지만 그런다고 해결이 되지는 않을 것이다. 의식을 되찾으면 미란다는 바로 자진하려 들 터다. 그녀를 구할 방법은 존재하지 않는다. 흑막을 죽이는 것 외에는.

아연해하는 구경꾼들에게 등을 돌리고서 모니카가 중얼거렸다.

"사라, 가자. 지금 본 걸 정보조에 전해야 해."

"……그렇죠."

그녀와 함께 지상으로 돌아갔다.

계단을 다 오를 때까지 두 사람은 아무 말도 하지 않았다.

승리는 거뒀지만 기분 좋은 결말은 아니었다. 대단한 정보도 얻지 못했다. 그저 여대생을 공갈한 뒷맛 안 좋은 결과가 남았을 뿐이다.

모니카는 수첩을 꺼내 암호문을 적고 뜯어서 사라에게 건넸다. 사라는 모자에서 애완 비둘기를 꺼내고 발에 보고서를 묶었다. 비둘기는 날개를 퍼덕여 정보조가 체재하는 아파트 방향으로 날아갔다.

"하, 하지만!"

보고를 마치자 사라가 신경 쓴 듯 밝은 목소리를 냈다.

"굉장했습다! 모니카 선배, 새삼 존경합다."

"고마워. 네 보조도 제법이었어."

"예? 아님다! 저는 솔직히 사소한 일들밖에—."

"너도 천재라는 걸 자각했으면 좋겠는데 말이지."

"……?"

"뭐, 이번에는 도움을 받았고, 임무가 끝나면 내가 직접 지도해 줄게. 꼬맹이랑 바보들뿐인 『등불』에서 너는 잘하고 있는 편이야."

"저, 정말임까?"

사라가 기뻐하며 얼굴을 붉혔다.

모니카는 주머니에서 다트핀을 꺼냈다. 손끝으로 빙글빙글 돌렸다.

"아, 하나 가져오셨슴까?"

사라가 웃었다.

"응, 이걸 계기로 시작해 볼까 싶어서."

모니카가 의기양양하게 고개를 끄덕였다.

"네……? 시작한다고요?"

"그래. 나 꽤 잘했잖아? 다트를 처음 해 본 것치고는."

입을 벌린 채 굳은 사라를 보며 모니카는 미소 지었다.

불법 카지노에서 벌어진 싸움은 「모니카·사라」 콤비의 승리.

그러나 다음 순간, 그녀들을 기다리고 있던 것은—.

◇◇◇

「지비아·에르나」 콤비의 싸움은 치열하기 그지없었다.

빛이 원천 봉쇄된 빌딩 안에서 의지할 수 있는 것은 시각 외의 감각뿐.

두 사람을 가로막은 바론은 암흑 속에서도 문제없이 움직일 수 있는 것 같았다. 지비아와 에르나의 숨소리를 알아듣고 거리를 재고 있었다. 소리도 없이 이동하여 타깃을 끝장내는 스타일인가.

살기를 지운 채 육박하여 복싱으로 연마한 주먹을 휘둘렀다. 제대로 맞으면 한 방에 혼절할 것은 확실했다.

이에 맞설 수 있었던 것은 지비아의 신체 능력과—.

"왼쪽에서 와!"

에르나의 초월적인 직감 덕분이었다.

그 목소리에 반응하여 지비아는 즉각 몸을 숙이고 발차기를 날렸다.

발끝이 닿으면 상대가 어디 있는지 대강 알 수 있다.

바로 총을 쐈다. 암흑 속에서 일순 불이 번쩍이며 바론의 얼굴이 떠올랐다.

상대도 궁지에 몰았을 터인 사냥감이 반격하여 곤혹스러운 것 같았다.

"……버러지가."

제대로 겨냥하지 못한 탓에 치명상은 주지 못한 듯했다. 바론은 황급히 장소를 이동한 것 같았다. 발소리가 울리며 또 어둠 속에 모습을 감췄다.

지비아는 에르나를 뒤로 보내서 벽과 자신 사이에 있도록 했다. 지비아가 이동할 필요는 없었다. 어차피 상대에게 위치를 들킨 상태였다.

암흑 속 사투는 일진일퇴를 이어갔다.

"에르나, 네 의견을 들려줘."

지비아가 물었다.

"지금 상황을 타개하려면 어떻게 해야 할까?"

평범하게 해결할 수 없는 상황이라면 자신의 두뇌보다 동료를 의지하는 편이 낫다고 판단했다. 그레테만큼은 아니어도 에르나 역시 충분히 머리 회전이 빨랐다.

바론에게도 상담이 들리겠지만 어쩔 수 없었다. 상대는 귀신같은 청력을 가지고 있다. 작은 목소리로 말해 봤자 들릴 것이다.

"일단 물러날 수밖에 없어."

에르나는 즉답했다.

패닉에 빠져도 이상하지 않을 궁지지만 냉정하게 해설했다.

"들어온 문은 막혔으니까 다른 출구로 나가야 해. 여기서 싸우는 건 너무 불리해."

"분하지만 어쩔 수 없나. 이대로는 승산도 안 보이고."

"지는 게 아니야. 이기기 위한 퇴각이야."

"오, 좋은 말을 하네. 근데 하나 묻고 싶은데—."

"응?"

"—출구는 어디 있을까?"

"……."

앞이 안 보이니 당연히 도주로도 알 수 없었다. 이곳은 처음 들어온 빌딩이다. 이미 마구잡이로 움직여서 현재 위치도 알 수 없는 상태였다.

뒤에서 에르나가 탄식했다.

"불행……."

"응, 뭐, 이번만큼은 어쩔 수 없지."

어쨌든 이 어둠 속에서 계속 싸워야 할 것 같았다. 현재 상황에서는 더듬더듬 움직이는 것도 위험성이 너무 크다. 바론이 어디서 올지 방향을 예상할 수 없다.

또 에르나가 「앞에서 와」 하고 말했다.

공격 타이밍을 예상하여 벽을 따라 이동했다. 사물이 움직이는 공기의 흐름을 감지하여 총을 쐈다. 앞이 안 보이는 가운데, 발포음이 유독 크게 울렸다.

하지만 총알은 엉뚱한 곳에 맞은 듯했다.

어둠 속에서 바론의 주먹이 날아왔다!

막는 것만으로도 벅찼다. 잽과 훅의 콤비네이션을 팔로 처리하고 에르나가 잡아당기는 방향으로 이동했다.

"……위. 감이 좋아."

바론의 섬뜩한 중얼거림이 들렸다.

공격을 막은 팔이 저릿저릿했다. 내출혈은 확실했다.

견제 사격을 하자 바론은 다시 거리를 벌렸다. 교과서 같은 히트 앤드 어웨이였다. 그의 복싱 스타일일지도 모른다.

이번에는 시간을 두지 않고 공격해 왔다.

에르나의 지시도 아슬아슬했다. 바론의 구두가 스치는 소리를 듣지 못했다면 끝장났을 것이다. 안면으로 날아온 주먹을 간발의 차이로 피하고 기다시피 도망쳤다.

'이대로 가다가는 한계가 올 거야……!'

가뜩이나 근접전으로는 불리한 상대였다. 에르나의 직감이 있어도 어둠 속에서 싸우는 건 거의 일방적인 싸움이다. 총알이 떨어지면 도주하기도 어려워진다.

「응……」 하고 에르나가 불안한 듯 소리를 냈다.

어둠 속에서 그녀를 향해 팔을 뻗어 손을 잡고, 그녀가 이끄는 대로 방을 달렸다. 얼마 못 가 에르나가 벽과 격돌했다. 다시 벽을 등지고 바론의 습격에 대비했다.

"이봐, 바론 씨!"

참지 못하고 외쳤다.

"……뭐?"

어둠 속 어딘가에서 대답이 들렸다.

목소리가 들린 방향으로 발포할까 잠깐 고민했지만, 역시 감만 믿고서 귀중한 총알을 쓸 수는 없었다.

"당신, 왜 이런 짓을 해?"

그 대신 물었다.

"어떻게 생각해도 현역으로 활동할 수 있는 복서잖아. 왜 암살 일을 하는 거야?"

다쳐서 은퇴했다고 부사장은 말했지만 그건 거짓말일 것이다. 그는 틀림없이 지금이 전성기다.

바론의 대답은 쌀쌀맞았다.

"……워. 말해 줄 이유가 없다."

"그러셔."

지비아가 어깨를 으쓱이자 바론의 한숨이 들렸다.

"……애초에 너도 마찬가지 아닌가? 양지에서는 살 수 없는 인간이야."

무거운 어조였다.

"우리는 어디로도 갈 수 없어. 그저 어둠 속에서 꿈틀거릴 뿐이지. —아닌가?"

목소리에는 체념과 비슷한 결의가 있었다.

크게 기대하진 않았지만 설득하기는 어려울 듯했다. 싸움은 피할 수 없다.

이야기는 끝이라는 것처럼 바론의 숨소리가 사라졌다. 다시 어둠 속에 숨어 습격할 준비를 하는 것 같았다.

지비아도 각오를 다졌다.

한동안 소리 없는 시간이 흘렀다. 앞이 안 보이는 상황에 소리마저 없으니 마치 이곳이 세상의 끝인 것 같았다. 메인 스트리트의 광고가 발하는 휘황찬란한 빛도, 줄줄이 밀린 차들이 내는 경적도 이 공간에는 도달하지 못했다.

에르나가 「오른쪽에서, 와?」 하고 중얼거렸다. 지금까지와는 미묘하게 억양이 달랐다.

지비아도 감지했다.

상대가 공격 패턴을 바꿨다. 주먹이 쇄도하는 건 알겠는데 아까와는 달랐다. 모든 신경을 집중하여 그 위화감의 원인을 알아차렸다.

바론이 노리는 것은 지비아—가 아니라 에르나다.

신체 능력이 높은 지비아가 아니라 약한 쪽을 먼저 공격하는 수단에 나섰다.

소리 없는 몸놀림으로 지비아 옆을 지나쳐 파트너를 노리는 바론에게—.

"웃기지 마!!"

—지비아는 호쾌한 뒤돌려차기를 날렸다.

남다른 신체 능력에 의한 초월적인 반응이었다.

그 공격은 완전히 어림짐작으로 날린 것이었지만 바론의 안면에 명중한 감각이 들었다. 지금까지 겪은 공격 타이밍에 맞춰 자연스럽게 몸이 움직였을 것이다.

"내 동료한테 손대지 마!"

회심의 일격.

정확하게 파악할 수 없었던 바론에게 마침내 공격을 먹였다.

하지만—.

"……위. 도발에 넘어오다니 어리군."

전부 그의 계획이었던 모양이다.

바론은 원래부터 지비아의 공격을 막을 심산이었던 것 같았다. 얼굴에 날린 발을 잡혀서 균형이 무너졌다.

지비아는 순간적으로 바론에게 팔을 뻗었다.

"끝이다."

공중에 뜬 지비아의 복부에 바론의 주먹이 꽂혔다.

명치였다. 완전히 숨이 멎으며 뇌가 새하얗게 물들었다.

정신 차리고 보니 바닥에 추락하여 몸을 세게 부딪친 상태였다. 먼지투성이 바닥을 굴러서 겨우 몸이 멈췄을 즈음에는 사지에 힘이 들어가지 않았다.

"지비아 언니……!"

에르나의 목소리는 비통했다.

"아니."

에르나가 슬퍼하지 않도록 지비아는 아픔을 참고 웃었다.

"—이미 훔쳤어."

어둠이 밝혀졌다.

가느다란 불이 방의 전체상을 비췄다. 방치된 사무용 책상과 눈을 동그랗게 뜬 에르나와 아연한 표정의 바론이 나타났다.

지비아의 손에 라이터가 있었다.

"너……."

바론이 신음했다.

기억하고 있었다. 바론이 부사장의 담배에 불을 붙였을 때 사용했던 라이터와 그것을 어느 주머니에 넣었는지.

라이터의 작은 빛을 의지하여 눈에 힘을 줬다. 방의 벽에 지도가 걸려 있었다.

'보였다, 출구……!'

꾸물거릴 여유는 없었다. 라이터의 연료가 떨어지면 끝이다.

지비아는 온몸에 다시 힘을 넣고 일어섰다. 그리고 에르나의 팔을 잡고서 달리기 시작했다.

◇◇◇

달려가는 소녀들을 바론은 냉정하게 바라보았다. 쫓기 시작했다. 하지만 절대 전력을 내지는 않았다. 적이 든 라이터 불빛이 있는 방향으로, 거리를 너무 좁히지 않게 의식하며 달렸다.

「이대로 탈출하자」 하고 말하며 『지비아』라고 불린 소녀가 웃었다.

그 목소리는 밝았다. 승리했다는 확신에 차 있었다.

일단 암흑에서 빠져나가 태세를 정비할 심산이리라.

'아니…….'

바론은 분한 척 연기를 계속하며 생각했다.

'탈출 따위 불가능해.'

소녀의 얕은 지혜 따위 무서워할 것이 못 되었다.

—여기까지 전부 바론의 계획대로였다.

'너는 너무 눈에 띄었어. 너는 자신의 정보를 전부 드러냈어.'

우연이긴 했지만 바론은 목격했다.

의혹이 있는 정치가에게 과감하게 돌격 취재하는 수습기자를. 바로 경계하며 성격으로 행동 패턴을 계산했나. 바론이 상사로 모시는 부사장에게 접근한 수단을 통해 그녀에게 소매치기 재능이 있다는 것도 예상했다.

전부 미리 완벽하게 구상한 것이었다.

'너라면 만용을 부려서 내게 맞서리라고 예상했지. 라이터를 제일 먼저 훔치려 들 것도. 어둠 속에서 인간이 가장 먼저 생각할 법한 일이야.'

바론은 라이터를 움켜쥐고 달리는 지비아를 바라보았다.

'—눈에 들어온 지도에 적힌 대로 따를 거야.'

능력은 결코 낮지 않았다. 잠깐 본 것을 기억하는 훈련을 쌓은 듯했다.

다만 안타깝게도 그녀는 생각이 깊지 않았다.

'지도에는 5층으로 내려가는 계단이 적혀 있어. 『소화기』가 있는 모퉁이에서 오른쪽으로 꺾고 『급탕실』을 지나면 비상계단에 도착한다고…….'

바론은 주먹을 움켜쥐었다.

'하지만 그 비상계단이야말로 내가 준비한 함정이다……!'

한 걸음 발을 들이면 바로 피아노선에 썰릴 것이다. 계단을 내려가려고 하는 관성과 중력을 거역하지 못하고 몸은 갈기갈기 찢긴다.

이제 소녀들을 그리로 몰기만 하면 된다.

격투 실력이나 청력에 주목하기 십상이지만 바론의 진짜 무기는 이 영리한 두뇌였다. 목표물을 정확하게 궁지에 몰아 유리한 위치를 유지하며 함정에 빠뜨렸다.

"……위. 멈춰라……."

위협적인 목소리로 소녀들을 몰아쳤다. 결코 따라잡지 않도록 숨을 헐떡이는 연기를 하며.

「멈출 리가 없잖아」라는 지비아의 대답이 돌아왔다.

그렇게 계속 달리라며 바론은 흡족하게 웃었다.

1초라도 빨리 빛을 보고 싶다며 발버둥 치면 된다. 어둠에서 도망치고 싶다고 바라면 된다.

굳이 경계하자면 지비아가 아닌 작은 꼬맹이일 것이다. 무척이나 오감이 뛰어난 그녀라면 피아노선 함정을 알아차릴지도 모른다.

하지만 집요하게 몰아붙인 상태에서 그 능력이 발휘될지 궁금하기도 했다.

"지비아 언니, 서두르자……."

아니나 다를까, 라이터 불빛을 의지하고 달리는 그녀의 이마로 커다란 땀방울이 흐르고 있었다. 스트레스 상태가 계속되어 냉정한 판단을 내리지 못할 것 같았다.

어둠에서 목숨을 걸고 싸우는 것은 상대에게 큰 스트레스를 준다. 사고도 좁아진다.

바론은 승리를 확신했다.

'너희는 이 어둠에서 탈출할 수 없어……. 내가 만든 감옥에서 죽을 거다……'

즐겁게 눈을 부라렸다.

'너희는 어디에도 도달할 수 없어……!'

앞으로 몇 미터만 더 가면 비상계단이 있다.

소녀들이 복도를 달려가 소화기가 있는 모퉁이에 접어들었을 때—.

"아니, 역시 아니야."

지비아가 발을 멈췄다.

믿을 수 없는 행동이었다. 조금만 더 가면 탈출할 수 있는데 왜 멈춘단 말인가.

「……어째서?」라는 말이 입에서 흘러나왔다.

아직 계단에 도착하지 않았으니 함정을 알아차릴 수도 없었다. 다른 소녀의 지시도 아닌 것 같았다. 그녀도 지비아를 보며 「응?!」 하고 경악한 소리를 내고 있었다.

지비아는 겉옷을 복도에 벗어 던지고 그리로 불 켜진 라이터를 던졌다. 순식간에 인화하여 그녀의 겉옷이 타올랐다.

"이 정도 불이 있으면 3분은 싸울 수 있겠네. 당신한테도 충분한 시간이지?"

그 불빛을 받아 그녀의 대담한 웃음이 어둠 속에 떠올랐다.

바론은 눈을 크게 떴다.

'왜 머물려고 하지? 불이 꺼지면 다시 어둠에 휩싸이는데…….'

그녀의 마음이 바뀐 이유를 전혀 읽을 수 없었다.

"……암흑이 무섭지 않나?"

특별한 의도 없이 솔직한 의문을 던졌다.

"딱히 안 무서워. 어린애가 아니니까."

지비아는 코웃음 쳤다.

"줄행랑 같은 비겁한 수단을 안 좋아할 뿐이야. ……응, 총도 필요 없어. 지금부터는 육탄전을 벌이자고."

"……!"

한층 더 바론의 계산을 뛰어넘는 행동을 했다.

품에서 권총을 꺼내 그것을 동료 쪽으로 던졌다. 단검까지 지면에 놓자 건조한 소리가 층에 울렸다.

'모르겠어……. 왜 이 녀석은 이런 비합리적인 수단을 취하지……?'

심장 고동이 빨라졌다. 몸이 확 뜨거워지며 전신에서 땀이 샘솟았다.

계산이 무너졌다. 모든 것을 손아귀에 넣었다고 확신했던 상대가 풀려나 이해할 수 없는 존재가 되었다.

'죽고 죽이는 싸움에 비겁한 게 어디 있어……? 이 녀석은 스포츠라고 생각하는 건가?'

바론이 육탄전에 어울려 줄 이유는 없었다. 그는 권총을 가지고 있었다. 사살해 버리면 된다. 지금까지 쓰지 않은 것은 그저 어둠 속에서 저격하는 기술이 없었기 때문이다.

재킷으로 손을 가져갔을 때, 이미 지비아는 코앞까지 와 있었다.

"당신은—!"

지비아가 주저 없이 주먹을 휘둘렀다.

"줄곧 괴로워 보여. 여유가 하나도 느껴지지 않아!"

그 목소리에는 마치 격투를 즐기는 듯한 기개가 있었다. 역시 바론의 상식을 뛰어넘었다. 그녀는 날렵한 움직임으로 주먹과 로킥을 연속으로 날렸다.

그 공격을 피하며 바론은 낮게 중얼거렸다.

"여유 따위…… 필요 없어……."

뇌리에 있는 것은 그 남자의 폭력이었다.

가족끼리 단란하게 크리스마스를 보내는데 그 남자가 수하들을 이끌고서 나타났다. 이유도 모른 채 포박당하고 바론의 가족은 가혹한 폭력을 당했다. 가족이 비명을 지르는 모습을 바론은 바라볼 수밖에 없었다.

"……아들의 절규를 들은 적 있나? ……아내가 살려 달라고 비는 소리를 들은 적은? 그 격통을, 뇌를 깡그리 태우는 『격통』이 가족에게 가해지는 아픔 따위 모르겠지……."

열 시간에 걸친 폭력으로 정신이 완전히 피폐해졌을 때, 남자가 속삭였다.

—【나의 《일개미》가 되어 스파이를 죽여 주세요.】

따를 수밖에 없었다. 몸이 멋대로 움직였다. 이제 자신은 그 남자의 꼭두각시일 뿐이었다. 살인 따위 망설이지 않는다. 복서였던 경험을 살려서 암살술을 익혔다.

"……죽이겠어……. 나는 너를 죽이고 가족을 구할 거다……."

근접전은 오히려 바라는 바다.

지비아의 공격을 뿌리치고, 체격 차를 살려서 내리찍듯 달려들었다. 서로 상대의 어깨를 잡고 밀어내는 형태가 되었다.

힘이라면 바론이 질 리가 없었다. 지비아도 여자치고는 완력이 파격적인 것 같지만 바론을 이길 수는 없었다. 그녀의 몸을 밀었다. 벽에 몰아붙여서 목을 조를 심산이었다.

"가족인가."

하지만 이 상황에서도 지비아는 웃고 있었다.

"알아. 나도 가족을 구하고 싶었어. 동생들을 구하고 싶었어."

"그럼…… 왜 웃지……?"

"후회하니까. 조급하게 막무가내로 돌진해도 실패할 뿐이었어. 모자라는 머리를 굴려 봐도 아무것도 안 보였어. 절망에 몰려서 미래 따위 전혀 믿을 수 없었어."

그녀의 눈은 늠름하게 빛나고 있었다.

"하지만 내게 『극상이야』라고 말해 주는 녀석이 있었어."

"……!"

"그 말을 듣고 마음에 여유가 생겼어. ―지금 나는 멋진 낙천가야."

바론은 이해할 수 없는 말이었다.

그에게 주어진 것은 정체불명의 남자가 내린 지령뿐이었다.

―【모조리 죽이세요.】【패배하면 목숨을 끊으세요.】【가족을 살리고 싶다면.】

3년간 바론은 살인을 반복했다.

스파이 기술을 연마하고, 적의 정보를 얻는 수단을 터득하고, 근접 격투로 상대의 목을 꺾는 각도도 알았다. 소리를 듣고 어둠 속에서 자유자재로 움직이는 기술도 체득했다. 그래도 한 달에 한 번씩 전화벨이 울렸다. 수화기 너머에서 아내와 아들의 비명이 들렸다.

"……그럼 그렇게 무사태평한 정신머리를 가지고서 죽어라. 이 암흑 속에서 썩어 문드러져 버려."

"틀렸어. 나는 어디든 갈 수 있어."

그 헛소리를 부정하듯 바론은 지비아를 벽으로 몰았다.

"……끝이다."

그리고 가느다란 목으로 손을 뻗었다.

직후, 움직이는 금발이 시야에 잡혔다.

반사적으로 지비아에게서 손을 뗐다. 곧이어 공기가 갈라지는 듯한 굉음이 울리며 탄환이 얼굴을 스쳤다. 거대한 탄환은 벽에 깊이 박혔다.

'매그넘탄……? 투박한 총을 쓰는군…….'

바론은 금발 소녀를 확인했다.

사격의 충격을 버티지 못했는지 뒤쪽으로 데굴데굴 굴러가고 있었다. 체구에 비해 너무 큰 총을 썼다. 한심하게 굴러가서 벽에 뒤통수를 세게 박았다.

「응!」 하고 금발 소녀는 신음하더니 「불행……」이라고 중얼거리며 의식을 잃었다.

상대할 필요도 없을 것 같았다.

시종 이해할 수 없는 소녀였다. 하지만 죽여 버리면 상관없다.

바론은 다시 지비아를 보았다.

"……자, 끝장을—."

말을 끝내기 전에 발포음이 울렸다.

"허……?"

다리에서 힘이 빠지며 바론은 무너졌다.

이어서 찾아온 것은 무릎 통증이었다.

—총에 맞은 것이다.

멍하니 얼굴을 들었다.

그곳에 바론의 자동식 권총을 든 지비아가 있었다.

"권총……?"

훔쳤을 것이다. 금발 소녀에게 일순 정신이 팔린 사이에.

하지만 납득이 안 갔다. 지비아는 육탄전을 바랐을 터. 왜 이제와서 총을 사용한 걸까.

"비, 비겁한 수단은 안 좋아하는 거 아니었나……?"
"엉? 스파이의 죽고 죽이는 싸움에 비겁하고 말고가 어디 있어? 당신을 방심시키기 위한 거짓말이야, 거짓말."
간단히 말했다.
그 말 자체는 전혀 틀리지 않았다. 하지만 그녀의 말은 행동과 동떨어져 있었다.
"그렇다면……! 왜 비상계단으로 안 도망쳤지?"
지비아는 도망치지 않고 발을 멈췄다. 어둠에서 탈출하는 걸 중단하고 정정당당히 싸우기를 선택했다.
처음부터 비겁한 수단도 불사했다면 비상계단으로 도망치면 됐다. 행동이 엉망진창이었다. 무엇 하나 정합성이 없었다.
"……이상해. 지도를 본 너는 6층에서 도망칠 수 있었을 터. 왜 망설였지?"
지비아는 이해했다는 듯이 씩 웃었다.
"그랬구나. 그래서 당신의 계산이 무너진 건가. 계단에 함정이라도 있어?"
"……큭."
"역시 여유가 부족해. 이런 간단한 답을 놓치다니."
"놓쳤다고……?"
바론은 지비아를 관찰해 왔다. 암살 계획을 짜기 위해 그녀가 신문 기자로 일하는 모습을 보았다. 그러면서 뭔가를 놓쳤나.
지금까지 보고 들은 모든 것이 머릿속에서 재생되었다.

『어제 공개한 부문 회의의 의사록과 오늘 아침 당신의 발언은 모순되지 않아?』

『뭐라고?! 아, 아무렇게나 지껄이지 말게!』

『자, 이 메뉴에서 원하는 걸 골라.』

『정말요? 고맙습니다. 그럼 메뉴의 왼쪽에 있는 요리를 위에서부터 세 개.』

진상을 알아차리고 바론은 숨을 삼켰다.

말도 안 된다. 소녀는 상식을 벗어난 말을 아무렇지도 않게 하고 있었다.

"설마, 너……."

"이야~ 오는 길에 배에서 필사적으로 공부했는데 말이지. 무자이아 합중국의 말. 역시 시간이 부족해서 말하는 게 한계야. 그거 어려워."

지비아는 혀를 내밀었다.

"나는— **글자를 못 읽어.**"

이해됐다. 그녀가 탈출을 포기한 이유— 그저 단순히 지도를 읽지 못했기 때문이었다. 『소화기』『급탕실』『비상계단』이라는 단어를 몰라서 막무가내로 달렸을 뿐이다. 비상계단이 어디 있는지 몰랐던 것이다.

예상할 수 있겠는가.

스파이로서 타국에 잠입하는 소녀가 언어조차 배우지 않았다니!

너무나도 우습게 보고 있다. 하지만 바론은 그걸 놓쳤고, 상대는 바론의 페이스를 무너뜨렸다. 계산을 빗어난 일이 연속으로 일어나서 모든 대응이 늦어졌다.

'……나는, 졌나.'

무릎에서 흐르는 피는 멎지 않았다. 대동맥에 구멍이 뚫렸다. 황급히 상처를 막았지만 뇌리에는 남자의 지령과 격통의 기억이 있었다.

―【패배하면 목숨을 끊으세요.】

몸이 움직여 주지 않았다. 길들여진 뇌가 지혈을 지시하지 않았다. 이대로 죽고자 했다.

하지만 자신이 죽으면 아내와 아들은 살해당한다. 그 잔학한 남자가 자비를 베풀지는 않을 것이다.

'살고 싶어……. 죽고 싶지 않아……. 한 번 더 가족과…….'

희망을 찾았다. 어둠 속에서 빛을 추구했다.

피를 너무 흘려서 의식이 점차 희미해졌다. 과다 출혈로 죽는 미래가 가까워졌다.

'목소리가 들려……. 아아, 뭐지? 이건 누가 가르쳐 준 거지……?'

―영웅이 나타날 거야. 절망의 밑바닥에서 분명 당신을 구해 낼 거야.

―그때까지 당신은 죽어선 안 돼.

누가 한 말이었는지 이제 떠올릴 수도 없었다. 잔학한 남자와는 정반대인 따뜻한 목소리로 말해 줬었다. 하지만 거짓말일 것이다. 내민 손을 아무도 잡아 주지 않았다.

이 땅에 히어로 따위 없다.

◇◇◇

지비아는 실성한 것처럼 중얼거리며 의식을 잃은 바론을 바라보았다.

'뭐야, 이 녀석…… 자기 몸에 난 상처를 막으려고도 안 하고…….'

상대를 죽일 생각은 없었다. 흑막의 정보를 알아내야 했다. 하지만 상대는 상처를 누르지 않고 피를 철철 흘리며 기절해 버렸다. 이대로 두면 바론은 목숨을 잃는다.

물론 살려야 할 의무가 있는 건 아니지만—.

지비아는 「아아, 젠장!」 하고 외치고서 황급히 응급 처치에 착수했다.

총탄은 관통했다. 다소 피를 흘렸더라도 아슬아슬하게 숨을 붙여 놓을 수 있을지도 모른다.

피가 나는 무릎을 강하게 동여매 지혈했다. 이제 빌딩에서 나가 구급차를 부르면 된다.

바론의 생명력에 걸어 볼 뿐이다.

언동을 보면 그가 누군가에게 조종당한 것은 명백했다. 죽어야 할 존재라는 생각도 안 들었다.

뒤통수에 혹을 만들고서 자던 에르나를 일으켜 6층을 떠났다. 5층으로 가는 비상계단에는 역시나 함정이 설치되어 있었기에 해제했다.

"뭐, 전혀 후련하지는 않지만 이긴 건 맞지."

"응!"

지비아는 걸어가며 보고서를 적고 에르나가 데리고 있던 쥐의 몸에 묶었다. 사라의 애완동물이었다. 정보조에게 보고서를 전달해 줄 것이다.

두 사람은 나란히 지상으로 나갔다. 빌딩의 빛이 보였다. 동시에 심호흡하여 산소를 들이마셨다. 서로 완전히 똑같은 행동을 한 것이 우스워서 두 사람은 동시에 웃음을 터뜨렸다.

"우리, 좋은 콤비였어."

"지비아 언니와 함께라면 일당백이야."

그렇게 서로의 건투를 칭찬하며 가볍게 주먹을 맞댔다.

지비아는 쑥스러운 듯 뺨을 긁적였다.

"언니라……."

여전히 지비아는 가족에 관해 동료에게 이야기하지 않았다. 부친이 갱단의 수령이었다는 것, 부친을 경찰에 넘기고 동생들과 함께 고아원으로 도망친 것. 그리고—.

가볍게 머리를 흔들었다.

"그래! 이 언니한테 맡겨!"

과거의 환상을 가슴에 품고서 지비아는 쾌활하게 웃었다.

잡거빌딩에서 벌어진 싸움은 「지비아·에르나」 콤비의 승리.

그러나 다음 순간, 그녀들을 기다리고 있던 것은―.

◇◇◇

티아와 그레테가 지내는 집의 창문에 두 동물이 찾아왔다.

쥐와 비둘기. 둘 다 사라의 애완동물이었다. 그들이 『등불』의 주된 통신 수단이었다. 무전이나 전화는 도청당할 위험이 있었다. 비상시를 제외하면 동물을 이용하여 정보를 주고받았다.

그들이 찾아왔다는 것은 모니카와 지비아가 위기에서 벗어났다는 뜻이었다.

티아는 안도의 한숨을 쉬고 동물들을 실내에 들였다. 몸에 묶인 편지를 그레테가 바로 읽고서 티아에게 내용을 전달했다.

불법 카지노의 다트 대결과 빌딩에서 벌어진 어둠 속 결전.

정체불명의 상대에게 소녀들은 이겼다.

「―라고 하네요」 하고 그레테가 말을 맺었다.

티아는 저도 모르게 한숨을 쉬었다.

"굉장해. 정말로 적을 쓰러뜨렸어……!"

상대가 누군지 모르는 이국땅에서 마침내 소녀들끼리 적을 타도

했다. 동료의 성장 속도에 압도될 수밖에 없었다.

"……예상대로입니다."

그레테가 온화하게 고개를 끄덕였다.

"모니카 씨와 지비아 씨의 신체 능력은 엄청나니까요……. 그길 보조하는 사라 씨와 에르나 씨가 있으면 웬만한 장애물은 극복할 수 있겠죠……."

"으, 응. 역시 대단해."

"네, 기대한 대로 일해 주셨어요."

"……."

티아는 실행조와 특수조의 활약에만 놀란 것이 아니었다.

여기까지의 전개를 그레테가 전부 예상한 것에도 놀라고 있었다.

소녀들의 배치는 거의 그레테가 생각한 것이었다.

노린 것처럼 자객에게 습격받고, 특수조의 도움으로 위기를 넘겨서 훌륭하게 반격했다. 그녀들의 활동 장소와 콤비의 상성을 판단한 완벽한 지휘였다.

'『등불』에서는 모니카만 격이 다른 실력자라고 생각했는데…….'

틀렸음을 깨달았다. 또 한 명, 특출한 능력을 가진 존재가 있었다.

처음 만났을 당시 그녀의 기술은 이 정도는 아니었을 터다. 지모는 있지만 체력이 떨어지고, 남성 공포증이라는 약점도 있어서, 양성 학교의 낙오자라고 해도 납득이 가는 수준이었다.

큰 변혁이 있었을 것이다.

—그녀의 인생 전체를 뒤집을 정도의 강렬한 만남이.

티아가 말을 잇지 못하는 동안에도 그레테는 냉정했다.

"다만 릴리 씨가 걱정이에요. 다른 멤버를 바로 보내기로 하죠……. 아직 정보가 부족해요. 예상치 못한 사태도 각오해야 해요."

"마, 맞아. 당장 무전을 보내자."

"……만약 연락이 된다면 보스에게도 부탁드려요."

티아는 방구석에 설치한 무전기로 향했다.

동료가 무사해서 안도했지만 내심 복잡한 기분이었다.

'웃음이 날 만큼 자신이 한심해…….'

동료가 목숨을 걸고 있는데 자신은 안전한 아파트에서 그레테의 지시에 따르고 있을 뿐이다.

꼬락서니가 참 가관이었다. 입술을 깨물고서 무전기를 조작했다.

'하지만 지금은 해야 할 일을 하자. 그레테를 방해하지 않도록 돕는 데 전념하는 거야.'

그것이 자신에게 남은 길이었다.

—성장하지 못한 자의 역할은 그것 말고 없었다.

티아가 무전기를 들었을 때, 거실 중앙에 놓인 전화가 울렸다.

"전화……?"

손을 멈췄다.

"누구지? 굉장히 긴급한 일인가?"

그레테도 의아해했다.

새로운 정보가 있을지도 모른다. 티아는 무전기를 놓고 수화기를 들었다.

《나님이에요!》

곧장 밝은 목소리가 들렸다.

아네트였다. 그녀는 릴리와 함께 있을 터다.

"무, 무슨 일이야……?"

《단적으로 말할게요! 나님과 『화원』 누님은 경찰에게 쫓기게 되어 도망치고 있었어요. **작은 말썽**은 있었지만 무사히 도망쳤어요!》

"응, 다행이네."

아무래도 그녀들도 곤경을 극복한 모양이다. 작은 말썽 정도로 도망쳤다면 잘한 거다. 그녀들도 잘 연계했을 것이다.

하지만 그렇다면 왜 전화한 걸까—.

섬뜩하리만큼 밝은 목소리가 티아의 귀에 들렸다.

《그랬더니 다음에는— 자객 열두 명이 왔어요!》

"열두 명……?!"

티아와 옆에서 듣고 있던 그레테가 경악했다.

보고에 의하면 적은 두 소녀가 한 명을 겨우 격퇴했을 정도의 실력자였다. 승리하기 위해 몇 번이나 사선을 넘어야 했다. 그런 적이 열두 명이라니— 그저 일방적인 학살이 벌어질 것이다.

《우리는 언제까지 적을 상대해야 할까요?》

"자, 잠깐만. 너는 지금 무사한 거지? 릴리는 어디 있어?"

참지 못하고 저도 모르게 이름을 부르고 말았다.

아네트의 대답은 바로 돌아왔다.
《누님은 나님을 보내고서 시간을 벌고 있어요.》
"그 아이가……."
《하지만 이대로 있으면 틀림없이 죽겠죠.》
릴리는 홀로 싸우고 있는 것이다.
아네트에게 정보를 맡기고 릴리 혼자 목숨을 걸고서 시간을 벌고 있다—.
"다, 당장 동료를 보낼게! 그때까지 반드시 살아남아 줘!"
《아뇨, 누님이 전하고자 한 건 말이죠.》
아네트는 고했다.
《—다른 누님들에게도 똑같은 위기가 닥쳤을 가능성이에요.》
무전기가 울렸다.
비상용 구조 신호였다. 도청당할 위험을 무릅쓰고 도움을 구하는 통신이었다.
그 램프가 두 개 깜빡였다. 흰색과 청은색.
"……티아 씨."
그레테가 중얼거렸다.
"지비아 씨와 모니카 씨가 SOS를 보냈어요……."
그녀의 얼굴이 파래져 있었다.
마침내 이해했다. 자신들은 덤벼서는 안 되는 적에게 덤비고 말았다.
누구일까? 모든 생활을 희생하고 단련하며, 윗선의 지시를 실행하고, 패배하면 자살하려 들고, 다른 동료가 물량으로 밀어붙인다. 자아를 버려야만 도달할 수 있는 경지다.

흡사 군대 — 아니, 그 이상 — 개미다. 왕의 장기말로서 목숨조차 이끼지 않는 개미.

이것이 『보라개미』의 힘일까.

만약 세 곳 전부에 자객 열두 명이 찾아왔다면 최소한 서른여섯 명 이상의 인원이 있을 터다. 너무 많다. 절망적인 인원수다. 『등불』은 맞설 수 없다.

—상대는 얼마나 있지?

다가오는 위기에 머리를 굴려 계산했다. 당장 산출해야 한다.

—서른 명? —마흔 명? —아니면 최악을 어림잡아 쉰 명?

막간 보라개미③

"287명— 그게 미타리오에 있는 《일개미》의 숫자죠."

보라개미가 말했다. 빈번히 증감하지만 대충 그 숫자를 유지하고 있었다.

전 세계에 흩어진 《일개미》를 포함하면 400명 이상이었다.

"미타리오 각지에 흩어진 그들은 스파이를 발견하면 죽여요. 실패하면 다음에는 열두 명이 죽이러 가고요. 그렇게 명령해 뒀어요."

애견이라고 부르는 남자의 등에 땅콩을 늘어놓았다. 손으로 깨서 알맹이를 꺼냈다. 깔끔하게 287개가 모이자 보라개미는 깊이 고개를 끄덕였다.

『그녀』가 너무 아무 말도 안 해서 보라개미 자신이 설명하기로 한 것이다.

자신의 압도적인 힘을 해설했다. 정보가 누설될 걱정은 전혀 없었다. 『그녀』를 기다리는 운명은 정해져 있었다.

"어떤 스파이든 압도할 수 있어요. 설령 붙잡더라도 《일개미》 대부분은 패배하면 즉각 자살하라는 명령을 받았어요. 당신들도 선전한 편이지만 국지적인 승리에 의미는 없죠. 안타깝네요."

그러자 『그녀』가 의아한 시선을 보냈다.

이상하다고 호소하는 듯한 눈이었다.

"당신의 의문은 이해해요."

보라개미가 시선에 담긴 뜻을 헤아렸다.

"그렇게 많은 《일개미》가 손을 잡고 반역한다면 저를 죽일 수 있을 터— 맞죠?"

『그녀』가 긍정했다.

타당한 의문이었다. 예를 들어서 한데 모인 열두 명이 일치단결하여 보라개미를 죽이려고 작당한다면 보라개미의 목숨은 위험해질 것이다.

"네, 맞습니다. 사실 여기 있는 바텐더도 그렇고, 이 애견도 그렇고, 저를 죽이는 것 정도는 식은 죽 먹기예요. 제가 격투를 잘하지는 않거든요. 큰일이네요. 지금 여기서 배신하면 암살당할 텐데."

그들은 《일개미》 중에서도 정상급 실력을 가졌다.

만약 그들이 보라개미를 죽이고자 한다면 몇 초 만에 끝날 것이다. 맨손으로 간단히 목뼈를 부러뜨릴 수 있을 터다. 그러면 그들은 자유의 몸이 될 수 있다.

하지만 그들은 절대로 실행할 수 없다.

"어이가 없네. 제 힘을 얕보지 마세요."

보라개미는 애견이라고 부른 남자의 배를 걷어찼다.

"—【자기 목을 졸라.】"

보라개미가 명령하자마자 애견은 자신의 목을 양손으로 조르기 시작했다. 손가락이 목에 파고들며 점차 괴로워 허덕였지만 그는 멈추려고 하지 않았다.

자살하기 시작한 남자를 보라개미는 즐겁게 바라보았다.

"뭐, 이런 겁니다. 제게 대들지 못하도록 뇌에 새겼어요. 혁명은 일어나지 않아요. 죽을 때까지 제 명령을 수행하는 덧없는 인생이에요."

그가 실신하기 직전에 보라개미는 「—【그만.】」 하고 말렸다. 힘없이 늘어지는 상대를 가차 없이 짓밟았다.

"그래서 누구도 저를 당해 낼 수 없어요."

말문이 막힌 『그녀』에게 보라개미가 말했다.

"CIM의 『레티아스』도 전멸했죠. 다섯이서 《일개미》를 열네 명쯤 죽인 것 같지만 그게 한계였어요. 『아카자 자매』는 똑똑했어요. 일곱 명을 죽이고 나서 도망쳤죠. 뭐, 언니 쪽은 숨졌지만. 『카게다네』는 아홉 명을 죽인 후 자살. JJJ도 이쪽을 눈여겨본 것 같지만 『기린』과 『영귀』의 시신을 보내니 얌전해졌어요. 『앵화』는 대단했어요. 혼자서 열일곱 명이나 죽였죠. 그의 시신을 보고 놀랐답니다. 설마 10대 소년이었을 줄은 몰랐어요."

전투로 올린 성과를 자랑스럽게 말했다.

각국의 올스타라고 흰거미는 표현했지만 보라개미 앞에서는 무력했다. 목숨을 아끼지 않는 인간이 한도 끝도 없이 죽이러 온다. 자객을 구속하려고 하면 그들은 주저하지 않고 자살을 시도한다. 그리고 다음 자객이 온다.

이미 보라개미는 철통같은 전력을 갖추고 있었다.

숨어든 스파이도, 이 땅을 지키는 비밀경찰도 유린할 수 있었다.

자신은 움직이지 않고.

“아아, 덧붙이자면 죽은《일개미》는 이미 보충에 나섰어요. 간단하거든요. 싹수가 보이는 시민을 구속해서 괴롭히기만 하면 돼요.”

힘은 결코 흔들리지 않는다.

미타리오에서 보라개미를 능가하는 인간은 없다.

“……너는.”

그러자 쉰 목소리가 들렸다.

마침내 입을 연 모양이다. 강한 눈빛으로『그녀』가 노려보았다.

“너는, 얼마나 많은 사람을, 불행하게 해야—.”

“왕에게 말대꾸하지 마.”

걷어찼다.

가차 없이 얼굴을 때리고서 보라개미는 퍼뜩 정신을 차렸다.

“아아, 죄송해요.「여성에게 친절히」가 신조인데 저도 모르게 폭력을 행사하고 말았네요…….”

죄송합니다, 하고 말하며 보라개미는 모자를 벗고 미소 지었다.

그리고서「신사적으로 굴죠」라며 타일렀다.

보라개미는 자신이 페미니스트라고 믿어 의심치 않았다. 왜냐하면 여성을 때렸을 때 남보다 배는 더 반성했기 때문이다. 이 얼마나 자비롭고 겸허한 왕인가.

자신은 대체 왜 여성에게 폭력을 행사한 걸까?

이유 중 하나는 애견이 눈에 거슬렸기 때문이다. 벌로 그의 배를 차올렸다.

또 다른 이유는 기다리는 사람이 전혀 모습을 드러내지 않기 때문이었다. 손목시계로 시각을 확인하니 이미 상당한 시간이 흐른 상태였다.

"이것 참, 좀처럼 안 오네요. 클라우스 군은. 슬슬 《일개미》 하나를 죽였다는 정보가 들어와도 될 법한데."

그를 발견했다는 보고도 없었다.

동료를 소중히 여긴다는 정보는 알고 있었다. 이렇게 딘 공화국의 스파이를 잡으면 언젠가 나타날 거라고 생각했는데.

어디 있는 걸까? 동료를 버린 걸까.

슬슬 싫증이 났다.

"—이제 됐습니다. 인질은 죽이기로 하죠."

보라개미는 자동식 권총을 꺼내 『그녀』의 배를 탄환으로 뚫었다.

발포음이 울렸다.

선혈이 튀며 쇳내 비슷한 냄새가 바를 채우기 시작했다.

"자, 당신이 과다 출혈로 죽기까지 앞으로 5분 정도 남았으려나요?"

보라개미는 고했다.

"꼭 유언을 남겨 주세요. 아아, 그 전에 하나 숙제가 있었죠."

얼굴까지 튄 피를 닦고서 보라개미는 물었다.

"슬슬 알려 주세요— 지금부터 죽어 갈 당신의 이름을."

4장 궁지

세 곳에 위기가 찾아온 것은 거의 동시였다.

심야 23시.

메인 스트리트에서는 광고와 빌딩의 조명이 번쩍였지만 뒷골목에서는 점차 사람이 사라졌다. 미타리오는 세계 최대의 도시이지만 동시에 치안이 안 좋은 것으로도 세계 최고였다. 선량한 시민은 야간에 뒷골목에 다가가지 않았다.

모이는 것은 어둠을 좋아하는 주민들뿐이었다.

소녀들은 골목을 달렸다—.

—역 북서쪽의 좁은 골목.

불법 카지노에서 승리를 거둔 모니카와 사라는 갑자기 습격받았다. 메인 스트리트로 돌아가는 길에 저격당했다. 그 총탄은 모니카의 발을 스치는 데 그쳤으나 도주할 수밖에 없었다.

승리의 여운 따위 금세 날아갔다. 다시 싸움에 내몰렸다.

두 사람은 동시에 메인 스트리트 반대쪽으로 도망쳤다.

하지만 골목을 달리면서 점점 저격수의 수가 늘어나고 있음을 깨달았다. 모니카는 거울을 투척하여 상황을 확인했다. 최종적인 인수는 열두 명. 그들은 빌딩 옥상이나 골목의 외벽을 따라 두 사람을 추적하고 있었다.

어느새 그들의 사냥터에 들어가 있었다.

도망칠 곳이 없는 강가로 유도당했다.

아무리 모니카가 천재여도 미타리오의 골목을 구석구석까지 파악하고 있지는 않았다. 이 땅에서 살아온 적을 상대로 실수했다.

두 사람은 겨우 도망쳐 들어온 건물에서 숨을 골랐다. 이미 종업원이 사라진 양복점 같았다. 카운터에 몸을 숨겼다.

“응, 조금 상황이 안 좋네.”

모니카의 웃음에서 초조함이 배어났다.

상대는 주변 건물들을 샅샅이 수색하고 있었다. 어디 숨었는지 들키는 것도 시간문제였다.

‘미란다는 그저 첨병이었나…….’

아무래도 상대는 예상을 뛰어넘는 힘을 가지고 있는 모양이다.

“저, 저기……!”

사라가 울 것 같은 눈으로 호소했다.

“모니카 선배 혼자라면 도망칠 수 있죠……? 저를 감싸느라……!”

“글쎄? 그렇진 않은데?”

“두, 둘 다 희생될 바에야 모니카 선배만이라도 도망치는 게…….”

“…….”

긴 침묵 후에 모니카는 자조적으로 웃었다.

“그러면 **그 녀석**이 슬퍼하니까.”

"네……?"

"음, 나도 잘 모르겠어. 하지만 너를 버린다는 선택은 안 해."

모니카는 사라의 모자를 두드리고서 건물 밖을 살폈다. 점점 저격수가 모여드는 기척이 느껴졌다.

혼자 힘으로는 도저히 돌파할 수 없을 것 같았다.

—웨스트포트 빌딩 남서쪽의 폐빌딩.

바론과의 격전에서 살아남은 지비아와 에르나는 일단 치료하기 위해 뒷골목으로 향했다. 크게 다치지는 않았지만 타박상과 찰과상은 입은 상태였다.

의사는 클라우스가 미리 찾아 줬다. 돈만 주면 음지의 인간이어도 치료해 주는 불법 의사였다. 필요하다면 총알이나 수류탄도 마련해 준다고 했다. 어느 도시든 이런 흥신소는 존재했다.

그 의사는 폐허나 다름없는 8층짜리 잡거빌딩에 있다고 했다.

하지만 5층의 불법 진료소에서 두 사람이 발견한 것은 의사의 시신이었다. 온몸이 난도질되어 있었다.

"뭔가, 있어……."

먼저 알아차린 사람은 에르나였다. 지비아는 그녀의 옷깃을 잡고 달렸다. 곧장 빌딩에서 탈출하려고 했지만 이미 아래층에 사람이 몰려와 있었다. 지비아와 에르나를 발견하고 안도한 듯 웃는 사람이 열 명. 남녀노소를 불문하고 다양한 사람들이 있었으나 공통적으로 다들 눈에 초조한 빛이 깃들어 있었다.

—바론과 똑같았다. 흑막의 지시에 따르라고 협박받고 있다.

"쯧."

지비아는 혀를 차고 빌딩 옥상으로 달렸다. 도망칠 곳 따위 없지만 다른 길은 없었다. 주위에 뛰어 넘어갈 만한 빌딩도 없었을 터다.

말하자면 이 8층 빌딩은 처형장과 다름없었다.

응, 하고 에르나가 불안한 듯 소리를 냈다.

"걱정하지 마."

그녀의 손을 끌며 지비아는 말했다.

"나는 말이지, 나를 『언니』라고 부르는 녀석은 절대 죽게 놔두지 않아."

당당히 고했다. 하지만 그건 허세에 불과했다.

바론 한 명에게 그렇게나 고전했다. 만약 똑같은 수준의 실력자가 열 명 왔다면 목숨을 걸어도 승산은 없는 것과 같다.

분하지만 바라는 것은 하나였다.

클라우스가 와 주면 좋겠다. 타개할 수 있는 사람은 그밖에 없었다.

지금 자신들이 할 수 있는 일은 시간을 버는 것뿐이었다.

◇◇◇

—동료들이 궁지에 빠지기 얼마 전. 웨스트포트 빌딩 옆 골목.

"……."

"……."

릴리와 아네트는 빌딩 옥상에서 포복 자세로 지상의 모습을 바라보고 있었다. 경찰들이 도주범을 찾아 뛰어다니고 있었다. 지원을 불렀는지 경찰차 다섯 대가 모여서 일대를 샅샅이 수색하고 있는 듯했다. 무전기를 들고 연락을 주고받으며 빌딩 사이를 동분서주했다.

아네트가 무슨 생각을 떠올렸는지 자신의 치마 속을 뒤적이기 시작했다. 커다란 기계가 나왔다. 안테나를 뽑고 이어폰을 귀에 착용했다.

릴리도 이어폰을 귀에 꽂았다.

무전을 도청하는 기기인 것 같았다. 경관들의 고함이 귀에 들렸다.

《큭, 도망쳤어! 살인범을 놓치다니.》

《조직적인 범행이겠지. 교란하는 폭탄이 여러 개 설치되어 있었어.》

《목표는 역시 경제 회의인가…….》

《국제적인 테러리스트일지도 몰라. 리릴린 헵번의 여권을 무효화시켜. 미타리오 경찰의 총력을 기울여서 체포한다!》

박력 있는 목소리였다.

아네트는 이어폰을 귀에서 빼고 생긋 미소 지었다.

"일단은 도망친 것 같네요!"

"제 죄상은 늘어났지만 말이죠!"

릴리가 머리를 감싸고 비명을 질렀다.

햄버거 가게에서 체포당할 뻔하고 한 시간이 지난 상태였다. 경찰차에 타기 직전에 아네트에게 구출되어 도주를 개시했다. 도시 곳곳에서 폭발이 일어났고, 술렁거리는 군중 속에 섞여 이 빌딩에 도달했다.

"저는 지명 수배자가 되는 건가요? 임무를 끝내고 출국할 수 있을까요?"

"체포당하는 것보다는 낫다고 생각해요!"

"체포당하는 게 백배 나은데요?!"

하지만 목하의 위기에서 벗어났다는 것은 틀림없었다.

도와준 아네트 본인이 「작은 말썽이죠」라고 낙천적으로 코멘트하는 것에는 태클을 걸고 싶지만 감사해야 할 일이었다.

"이게 적의 음모일까요."

릴리는 크게 한숨을 쉬었다.

"경찰에 분명 협력자가 있어요. 없는 죄를 날조할 수 있을 만한 협력자가. 저의 수상한 행동을 알아보고서 함정에 빠뜨리기로 한 거예요."

"그 녀석, 죽여 버리나요?"

"아뇨, 누구인지는 모르니까요."

"경찰을 전부 처리하나요?"

"훗, 아네트. 저를 태클 거는 역할로 만들다니 역시 대단하네요."

어쨌든 이대로 경찰을 피하며 정보조의 판단을 따르는 것이 좋을 것이다. 신변에 닥친 위기가 없다면 느긋하게 기다리면 된다.

눈에 띄는 웨이트리스 복장을 벗고 아네트가 가져와 준 움직이기 편한 임무용 옷으로 갈아입기 시작했다. 역시 이걸로 갈아입어야 정신이 바짝 선다.

다행히 빌딩 옥상이었다. 주위에 사람은 없었다.

하지만 치마를 벗으려고 했을 때, 아네트가 달려들었다.

“누님! 누가 보고 있어요!”

릴리의 얼굴에 단숨에 열이 올랐다.

“여, 엿보기인가요?”

“조준경으로 보고 있어요!”

“아주 확실하게 엿보는군요!”

“라이플도 들고 있어요.”

“엿보는 게 아니네요!”

엎드린 두 사람의 머리 위로 총알이 지나갔다. 콘크리트가 분쇄되었다.

탄흔을 보고 저격수가 숨어 있는 곳을 추정했다. 아무래도 웨스트포트 빌딩에서 릴리와 아네트를 노리고 있는 것 같았다. 엎드린 채 옷을 갈아입고 상황을 확인했다.

‘저격수는 웨스트포트 빌딩 39층…… 이 근방에서 가장 높은 곳이니 어디든 노릴 수 있어요.’

빌딩 옥상의 가장자리에 몸을 숨기고 있지만, 한 발짝 나가면 바로 노릴 것이다. 소음기를 달았는지 총성이 울리지 않았다. 지상에 있는 경찰들도 저격수를 눈치채지 못한 듯했다.

경찰과는 다른 존재인 것 같았다. 하지만 연계는 이루어지고 있었다. 똑같은 흑막의 수하일지도 모른다.

릴리는 아네트의 무전 도청기로 손을 뻗었다. 경관의 무전에 섞여 다른 목소리도 들렸다.

《가자……. 저 빌딩에 있는 것 같아.》

《……그래요.》

《아픈 건 싫어요.》

《네, 죽이죠.》

《죽여요.》

《죽이지 않으면, 벌을 받으니까…….》

상대는 한 명이 아닌 것 같았다. 비장함이 느껴지는 목소리가 여럿 들렸다.

귀에 들린 목소리만 따져도 열 명 이상. 심지어 저격수가 노리고 있어서 움직이고 싶어도 움직일 수 없는 상황이었다.

상당히 궁지에 몰려 있었다. 지금까지 살면서 사상 최대로.

"…………."

두려웠다.

자신 혼자서 이 위기를 극복할 수 없는 것은 명백했다. 살해당한다. 죽는다. 숨진다. 이대로 있다가는 속수무책으로 목숨을 잃을 것이다.

양성 학교의 낙오자가 맞설 수 있는 적이 아니었다. 절체절명의 현실이었다.

릴리는 자신의 양쪽 뺨을 때렸다. 나약해진 마음을 일으켜 세웠다.

—포기하지 마. 불가능은 뒤집을 수 있어.

눈을 감았다. 클라우스의 말이 되살아났다.

리더가 되라고 말해 줬다.

그것이 자신을 분발시키는 방편이라는 것은 안다. 그게 아니라면 덜렁이에다가 스파이 기술도 부족한 자신에게 리더 같은 걸 맡길 리가 없다. 객관적으로 보면 더 적임자가 있었을 터다.

하지만 그 거짓말로 인해 자신은 여기서 당당하게 가슴을 펼 수 있었다.

"아네트."

"네!"

"기분 탓이라면 사과할게요. 사실 아네트는 무진장 강한가요?"

"……."

아네트는 살짝 눈을 크게 떴다.

그녀치고는 보기 드문 반응이었다.

"나님."

입을 열었다.

"왜 그렇게 생각했는지 알고 싶어요."

"그 정도는 알 수 있어요."

릴리는 슬쩍 웃었다.

"이래 봬도 리더인걸요. 「이 아이, 사실은 엄청나게 우수하겠지」 하고 눈치채요."

"……."

"제가 미끼가 될게요. 탈출해서 당장 정보조에게 상황을 전해 주세요. 다른 동료도 위기에 빠졌을 테니까."

아네트라면 포위망을 돌파하여 가까운 공중전화에 도달할 수 있을 터다.

눈앞의 상황을 정보조에게 전하는 것이다.

그러면 동료의 생존율은 올라간다. 정보조가 대책을 짜고 클라우스와 연락한다. 타개할 방법은 따로 없다.

"알고 있겠지만—."

아네트는 이제 웃고 있지 않았다. 가면 같은 무표정이었다.

"누님, 죽을걸요?"

"안 죽어요! 독가스, 독거품, 독연막. —시간 벌기의 달인 릴리예요."

"너무 약해요. 클라우스 형님에게 통한 적 있었나요?"

날카로운 지적이었다.

일류와의 싸움에서 릴리의 독이 효과를 낸 적은 거의 없었다. 기껏해야 독거품으로 바리케이드를 만들어서 흰거미의 발을 묶어 둔 것 정도였다. 독이 듣지 않는 강력한 특이 체질이면서 그 능력을 발휘하고 있다고 말하기는 어려웠다.

릴리는 아네트의 새끼손가락에 손가락을 얽었다.

"그럼 귀국하면 엄청난 무기를 만들어 주세요. 선생님을 쓰러뜨릴 수 있을 만한."

"……."

"아네트의 특제 스파이 도구, 기대할게요."

"……."

이번에는 확실하게 아네트가 눈을 흡떴다.

릴리는 아네트가 무슨 생각을 하는지 알 수 없었다. 이해할 수 있었던 적은 한 번도 없었다. 그래도 지그시 그녀의 눈을 바라보았다.

이윽고 아네트도 새끼손가락을 단단히 걸었다.

그 얼굴에는 평소와 같은 천진난만한 웃음이 돌아와 있었다.

"알겠어요! 나님의 공작과 누님의 독이 만나면 엄청난 게 완성될 거예요!"

"네, 선생님을 여유롭게 쓰러뜨릴 수 있어요."

두 사람은 동시에 새끼손가락을 풀었다.

릴리는 권총을 들고서 이동하기 시작했다. 이대로 있으면 저격수의 먹이가 된다. 직감만으로 회피해서 실내로 피난해야 했다.

자신은 사지에 서 있었다.

그리고 죽을 위기에 처한 릴리에게 아네트는 「그럼 갈게요」라며 귀엽게 미소 지었다.

"나님, 릴리 누님을 죽게 내버려 둘 거예요!"

잔혹하며 무자비한 판단.

하지만 그것이야말로 최선의 선택이었다.

릴리가 저격수의 주의를 끄는 사이에 아네트가 이동을 개시했다. 옆 빌딩으로 뛰어넘어 포위망을 탈출할 터다.

그것이 완료될 때까지 릴리는 적을 유인해야 했다.

계속 속이는 거다! 아네트가 공중전화에 도달하여 정보조에게 보고할 때까지!

첫 번째 저격을 아슬아슬하게 피함과 동시에 입술을 세게 깨물었다.

—『등불』의 리더로서 목숨을 걸 때가 왔다.

고립무원의 궁지에서 스파이로서 진가를 시험받고 있었다.

◇◇◇

멎지 않고 울리는 구조 요청.

세 곳에서 동시에 발생한 동료의 위기. 본인들만으로는 어떻게도 할 수 없는 비상사태.

그 상세한 내용은 릴리의 자기희생으로 정보조에 전달되었다.

—이 절박한 국면을 뒤집을 꾀를 내야 한다.

하지만 티아는 상황을 이해하면서도 아무것도 할 수 없었다. 수화기를 움켜쥔 채 멍하니 있을 수밖에 없었다.

'적은 대체 뭐 하는 녀석인 거야……!'

티아는 머리를 싸매고서 거친 호흡을 반복했다.

이 흑막이 『보라개미』일까. 상대가 너무 나쁘다는 생각밖에 안 들었다. 경제 회의에서 조금이라도 수상한 움직임을 보인 인물을 묻지도 따지지도 않고 죽이려 든다. 눈치 싸움도 책략도 관계없다. 물량으로 모든 것을 유린한다. 스파이 킬러로서 이토록 성가신 것은 없다.

"……어쩌면 좋지……?"

사령탑은 자신이다. 어떻게든 해야 하는데 혼란에 빠진 머리는 돌아가지 않았다.

눈물만 차오를 뿐이었다. 지금 이 순간에도 동료는 이미 죽었을지도 모른다. 그 광경이 머릿속에 떠오르자 아무 생각도 할 수 없었다.

그때, 그레테가 침실로 달려갔다.

"그레테?"

황급히 그녀를 뒤쫓았다.

그레테는 옷을 벗어 던지고 남성용 정장을 입고 있었다.

"제가 보스로 변장하겠어요……."

말은 냉정했다.

"상대가 제국 측 인간이라면 보스의 생김새는 파악하고 있을 터…… 제가 움직이면 동요를 일으킬 수 있어요. 모니카 씨와 협력하면 위기 상황을 타파할 수 있을지도 몰라요."

즉, 사지에 뛰어들겠다는 것이다.

이 얼마나 용감한가. 그녀 자신에게는 전투력이 거의 없는데.

하지만 확실히 클라우스가 보증한 그레테와 모니카 콤비라면 위기에서 벗어날 여지는 있었다. 거기에 사라가 더해지면 생존할 여지는 있다.

"릴리와 지비아는 어쩌고?"

"……보스가 있어요. 이렇게 큰 소란을 보스가 눈치채지 못하셨을 리 없어요. 달려와 주실 거예요."

냉정한 판단을 말하면서 그레테는 변장을 마쳤다. 클라우스와 판박이인 모습이었다. 그의 모습을 보니 반사적으로 안심이 됐지만—.

"자, 잠깐만!"

지울 수 없는 불안이 있었다.

"계산이 안 맞아."

티아는 가슴이 아픈 것을 느끼며 고했다.

"……."

"위기에 빠진 곳은 세 군데야. 네가 한 곳을 구하고. 선생님이 한 곳을 구하고. 그럼 다른 한 곳은?"

"티아 씨……."

그레테의 표정은 딱딱했다. 손은 꽉 움켜쥐고 있었다.

"지금 할 수 있는 최선을 다하죠……."

"——!"

전해지고 말았다.

도울 수 없다는 것을 잘 알고 있는 것이다. 일손이 부족했다. 세 곳의 위기에 대처할 수 있는 힘 따위 『등불』에는 없었다. 합리적으로 판단하면 자연스럽게 도달하는 진리였다.

그래도 그레테는 각오하고서 뛰쳐나가려고 했다. 지금 구할 수 있는 목숨을 구하기 위해.

"그레테!"

한심한 목소리로 외쳤다.

"너는 어째서 그렇게 용감할 수 있는 거야?"

"용감……?"

"가르쳐 줘. 나는, 모르겠어……! 어떻게 해야 해? 너 같은 지모도 없고. 목숨이 달린 위기에 뛰어들 멘탈도 없어. 한 번의 실패에 좌절한 인간이, 뭘 하면 돼?"

이끌어 줬으면 했다.

이번 임무에서 줄곧 그랬듯이 방책을 제시해 줬으면 했다.

"저는 강하지 않아요……."

그레테는 고개를 가로저었다.

"……있는 것은 보스에게 보답하고 싶다는 마음. 집착에 가까운 의존이에요. 실연으로 끝난 애정에 어울려 주는 보스를 향한 보은이에요."

실연? 모르는 내용이었다.

하지만 캐물을 수 없었다. 목소리에는 섣불리 건드릴 수 없는 열량이 있었다.

그럼 클라우스에게 보내는 감정은 무엇일까. 연애를 뛰어넘은 그 애정은? 낙오자를 지혜로운 스파이로 끌어올린 마음이란 대체.

"……티아 씨."

그레테는 말을 남겼다.

"보고서를 다시 읽고 자신이 할 수 있는 최선을 생각해 주세요. 믿고 있어요……."

그게 다였다.

그레테가 뛰어나가고 방에는 티아만이 남았다. 아파트 밖에서 경찰차의 사이렌 소리가 유독 또렷하게 울리고 있었다.

다리에서 힘이 빠져 바닥에 주저앉았다. 굵직한 눈물방울이 뺨으로 흐르기 시작했다. 강한 열기를 가진 물방울이 티아의 손에 떨어졌다.

알아차리고 말았다. 자신이 너무나도 무력하다는 것을.

'나는, 아무것도 못 해…….'

동료 곁으로 달려갈까? 하지만 달려간다고 뭐가 달라지겠는가.

자신의 힘은 전투에 적합하지 않다.

교섭— 하지만 그 능력에는 조건이 있다. 상대와 몇 초간 마주봐야 했다. 진심으로 죽이려 드는 적에게 통하는 힘은 아니었다. 달려가 봤자 걸리적거리기만 할 뿐이다.

—동료를 구할 수 없다.

—아무것도 하지 못한 채 그저 방에 주저앉아 있을 수밖에 없다.

'지휘관으로서 최악이고, 스파이로서는 최약(最弱)이야…….'

결국 지휘도 그레테가 다 했다. 그녀의 판단에 그저 고개만 끄덕거렸을 뿐이다. 무능한 것도 정도가 있다. 그레테가 사라지니 우는 것밖에 못 하지 않나.

"홍로 씨……."

동경하는 여성의 이름을 중얼거렸다.

"내가 할 수 있는 게 뭐야……? 어째서 당신은 이런 나에게 기대한 거야……?"

7년 전에 딱 한 번 만난 위대한 스파이.

자신을 구해 주고 살아갈 목적을 준 사람.

『너는 누구보다 강한 스파이가 될 수 있어.』

『하지만 단순한 스파이가 되지 않았으면 좋겠어. 적조차 구하는 히어로를 목표로 삼으렴.』

그렇게 말해 줬다. 기뻤다. 화려한 미래를 기대했다. 언젠가 자신도 『화염』에 소속되어 그녀 곁에서 활약하겠다고 몽상했다.

하지만 이상과 현실은 달랐다.

—들어가고 싶었던 『화염』은 이미 괴멸되어 있었다.

—홍로는 같은 편에게 배신당하여 목숨을 잃었다.

—적조차 구하는 히어로가 되고자 했던 자신은 적에게 이용당하고 비웃음당했다.

현실을 직시하게 되었다. 마틸다의 조소로 인해.

끝내는 성장하는 동료들 속에서 혼자 정체되었고, 지휘관 역할은 완수하지 못하고, 아군의 위기에 전혀 움직이지 못하고 있었다.

"사라져 버려야 해……."

바닥에 손톱을 세우고 한탄했다.

"나 같은 건 사라져 버려야 해……!"

바닥을 퍽퍽 때리며 아우성쳤다.

사라져 버려야 해! 자신에게도 적에게도 물러 터졌고, 대단한 능력도 없고, 조금 남성 경험이 있는 것 가지고서 동료에게 우월감을 느끼고, 타인에게 다 맡기고, 리더도 아니면서 잘난 척하는, 팀에서 가장 유치하고 연약한 여자 따위 끝장나 버려야 해!

그렇게 계속 한탄했다.

《누님!》

수화기에서 목소리가 들렸다.

아직 아네트와의 통화는 끊어지지 않았던 모양이다.

《나님은 누님이 사라지지 않았으면 좋겠어요.》

"너……!"

《지난달에 나님을 위해 뛰어다녀 줘서 기뻤어요!》

마치 아이를 달래는 듯한 음성으로 속삭였다.

누가 연상인지 모르겠다.

《확실히 나님은 놀랐어요. 『이 누님, 참견쟁이에 맨날 헛돌기만 하고, 색녀라는 것 말고는 쓸모가 없네』 하고요.》

"너, 꽤 독설가구나……!"

의외의 사실이 발각됐다.

《하지만 싫지 않아요.》

아네트는 고했다.

《어떤 정보를 전달해 달라고 『화원』 누님에게 부탁받았어요.》

"릴리가?"

《누님이 조사한 바로는 이 미타리오에 어떤 소문이 돈다고 해요. 절망의 구렁텅이에 있을 때, 영웅이 달려온다— 그런 소문이에요.》

"영웅……."

낯설지 않은 단어다. 바로 생각이 났다.

"모니카가 보낸 보고서에도 있었어. 보라개미의 수하는 『영웅』을 믿고 있다고."

미란다라는 여대생이 자살을 시도한 후에 말을 남겼다고 했다.

—영웅은 안 오는 걸까, 라고.

지비아가 보낸 보고서에도 적혀 있었다. 기절하기 직전에 바론이라는 남자가 『영웅』이라는 말을 중얼거렸다고 했다. 특별히 신경 쓰지 않았었지만, 두 개 이상이 겹치니 단순한 소문이라는 생각도 안 들었다. 누군가가 의도적으로 퍼뜨린 걸까.

"……어떻게 된 거지? 이 소문을 퍼뜨린 사람은 보라개미의 관계자인가……?"

《그리고 그 영웅은 생김새까지 정해져 있다는 것 같아요.》

생김새— 그런 정보는 누구의 보고서에도 없었다. 릴리가 알아낸 걸까.

수화기를 귀에 바싹 대자 아네트가 생각지 못한 말을 했다.

《영웅은 아름다운 흑발 소녀라고 해요.》

"뭐……?"

구체적이었다. 영웅이라고 할 정도니까 강인한 거한을 떠올렸었다. 누가 어떤 의도로 이런 소문을 퍼뜨렸을까. 전혀 모르겠다.

게다가 이해할 수 없는 것은—.

"어째서 내 외양이랑 일치하는 거야……!"

티아를 가리키는 듯한 내용이었다. 흑발이고, 소녀고, 더군다나 아름답다는 조건도 만족할 터다.

《여기서부터는『화원』누님이 전해 달라고 한 말이에요.》

아네트가 말을 이었다.

《이용하기 좋은 얘기예요. 이 소문에 편승해서 히어로가 되어 주세요. ―이상입니다. 나님은 누님 곁으로 돌아갈게요.》

일방적으로 전달하고서 전화는 끊어져 버렸다.

잘 이해할 수 없는 이야기였다.

이용하기 좋은 소문― 정말 그럴까?

이렇게 자신이 쓰기 딱 좋은 소문이 우연히 퍼졌다고?

"뭐야…… 어떻게 된 거야……?"

티아는 수화기를 놓고 신음했다.

알 수 없는 것투성이지만 냉정함을 되찾을 수 있었다. 한탄해 봤자 소용없다. 팀을 위해 움직여야 한다. 아무리 미력하더라도.

방의 벽을 지그시 바라보았다.

벽 하나를 사이에 둔 건너편에는 클라우스가 지내는 집이 있다. 여벌 열쇠는 받아 뒀다. 그레테가 몇 번 숨어들었다가 쫓겨났었다.

그리고 그 공간에는 지금도 한 남자가 감금되어 있을 터다.

자신은 동료를 도울 수 없다. 하지만 동료를 도울 수 있는 남자는 알고 있었다.

티아는 숨을 삼켰다.

—지금 자신이 할 수 있는 일.

그레테가 지시한 대로 보고서를 읽고 나서 그의 방으로 향했다.

집은 어두웠고 조명은 꺼져 있었다. 당연히 클라우스는 부재했다. 그도 격전을 벌이고 있을 것이다. 최전선에서 보라개미의 수하와 싸우고 있을 것이 틀림없다.

생활의 냄새가 나지 않는 잘 정돈된 거실에 엄중히 잠긴 방이 있었다.

여벌 열쇠로 그 잠금을 풀었다.

천천히 문이 열리자 의자에 앉은 야윈 남자가 보였다. 양팔을 뒤로 돌려서 쇠사슬로 엄중히 감아 뒀다. 손가락 하나 까딱하는 것도 경계하듯이.

"슬슬 올 거라고 생각했어."

롤랜드. 클라우스와 함께 포박한 제국의 암살자.

전신을 구속당한 상태인데도 그의 눈은 형형히 빛나며 한없는 위압감을 발산했다. 기분 탓인지 전보다 더 박력이 커진 것처럼 보였다. 감금이 이어져 더 쇠약해지고 더 야위어 죽음에 가까워지면서 그의 존재는 더욱 선명해졌다.

그의 여유에 찬 입매를 보고 티아는 모든 것을 헤아렸다.

'전부 계산했던 거구나……! 여기까지의 전개를.'

그는 보라개미를 알고 있다. 그의 능력과 수법도 파악하고 있을 것이다. 도시를 통째로 장악하는 제압력을. 그리고 『등불』에는 그에 맞설 전력이 부족하다는 것도.

롤랜드는 낄낄거리며 웃었다.

"왜 입을 다물어 버렸어? 얼굴 보는 선 네 번째잖아? 이제 겁을 안 먹을 때도 되지 않았어?"

허물없이 말을 걸어왔다.

하지만 티아는 목소리가 잘 나오지 않았다. 그에게 두 번이나 죽을 뻔했다. 상대가 구속되어 있어도 가슴속에 새겨진 공포는 사라지지 않았다.

다리가 후들거리려는 것을 필사적으로 참아야 했다.

롤랜드는 비웃는 시선을 보내더니 「흐응」 하고 코웃음 쳤다.

"그렇구나, 전부 예정대로인가 보네. 보라개미의 《일개미》에게 유린당하고 있어. —어쩔 수 없는 일이야. 그걸 처음 보자마자 공략하는 건 무리니까. 응, 그래서 네가 할 요구도 뭔지 알아."

"……읏."

"—내가 도와주길 바라지?"

그 말대로였다.

롤랜드밖에 없었다. 클라우스만큼은 아니지만 그는 초일류의 암살 기술을 가지고 있다. 세 곳에 위기가 찾아왔고, 동료를 모두 구하려면 힘이 있어야 했다. 이대로 가다가는 확실하게 사망자가 나온다.

티아는 주먹을 움켜쥐었다.

—하지만 이 상대를 믿어도 될까?

롤랜드는 위로하는 듯한 눈을 했다.

"좋아."

상냥하게 웃었다.

"그래, 나도 너희에게 정이 들기 시작했어. 도와줄게."

"……!"

"그렇게 놀라지 않아도 돼. 정말이야. 그러니까 어서 구속을 풀어 줘."

누군가가 심장을 움켜잡은 것처럼 괴로웠다.

정해야만 했다. 동료가 위기에 처한 국면에서 궁극의 양자택일과 직면했다.

—롤랜드를 풀어 줄 것인가. 아니면 무시할 것인가.

상담할 동료는 없다. 클라우스도 그레테도 없다. 티아 혼자서 선택하는 것이다.

롤랜드는 혀를 찼다.

"뭐 해? 꾸물거리다가는 사망자가 나올 거야."

"……."

"너의 우유부단함으로 동료를 죽일 셈이야?"

티아는 계속 침묵하며 자신의 특기를 써 보려고 했다.

—마주 보면 상대의 소망을 읽을 수 있다.

그것이 티아의 스킬이었다. 조건을 만족하기만 한다면 그의 본심을 읽을 수 있다. 소망에 따라서는 제어할 수 있다.

'시선을 마주할 수만 있다면……!'

여러 번 도전했다. 자신의 색향에 이끌린 남자를 상대로는 쉽게 달성할 수 있었다. 하지만 롤랜드와 시선을 마주하려고 하면 바로 눈을 돌려 비렸다.

"야, 아까부터 뭐 하는 거야?"

롤랜드가 한숨을 쉬었다.

"나랑 마주 보는 게 좋아? 그건 아니겠지. 목소리도 못 낼 만큼 겁먹은 상대가 시선만큼은 마주 보려고 하는 거, 부자연스럽기만 해."

"……읏."

"너의 시답잖은 스킬 같은 게 통할 리 없잖아."

—전혀 통하지 않았다.

클라우스와 똑같았다. 스파이의 제육감으로 경계했다. 일류인 상대에게 성공한 적 따위 한 번도 없었다. 마틸다에게도 통하지 않았었다.

방법은 없었다. 모니카에게는 키스한다는 수법을 시도했었다. 하지만 롤랜드에게 그만큼 접근하는 건 위험성이 너무 컸다. 입술을 맞댄 순간에 혀를 잘릴 수도 있다.

'역시 나는 아무것도 못 해……'

시간을 낭비했다.

모 아니면 도라는 심정으로 구속을 풀 수는 없었다. 그러면 그때와 똑같다. 제대로 확인하지도 않고 마틸다가 유도하는 대로 그녀를 구하려고 한 그때와.

—『티아 씨, 너무 하찮아요.』

비웃던 목소리가 들렸다.

그런 실수를 또 하는 것만큼은 피해야 했다.

"……그렇구나. 너는 최근 실패했어."

그러자 롤랜드 쪽에서 말을 걸어왔다.

위압감은 없는 다정한 음성이었다.

"태도를 보면 알 수 있어. 내가 너무 괴롭혔네. 미안해. 나도 조금 신경이 곤두서 있었어."

그는 작게 고개를 움직였다.

—사과했어? 일류 암살자가, 자신에게?

당황하고 있으니 그는 부끄럽다는 듯 턱을 당겼다.

"나도 똑같아. 무참히 실패했어."

"……똑같아?"

마침내 말할 수 있었다. 한마디뿐이었지만.

"당연하잖아. 네 눈앞에 있는 건 화톳불에게 덤볐다가 간단히 반격당한 남자야. 『라이벌』이 될 만하다는 둥 창피한 말을 하고서 말이지."

"아아……."

"잠깐 내 얘기를 할까? 걱정하지 마. 길어지진 않을 거야."

롤랜드는 희미하게 미소 지었다.

그의 신원은 대외정보실에서도 파악하지 못했다. 자연스럽게 귀를 기울였다.

"원래 나는 시시한 청년이었어. 무자이아 합중국의 꽤 유복한 가정에서 태어나서, 부모에게 가업을 이으라고 명령받고, 그에 따라 하루하루를 보냈지. ―동료들이 『보라개미』라고 부르는 기묘한 남자와 만나기 전까지는 말이야."

"보라개미……."

"그는 한눈에 내 재능을 알아본 것 같아. 붙잡아서 나를 스파이로 개조했어. 의외로 나쁘지 않은 기분이었어. 나는 천재였으니까. 다른 《일개미》의 실력을 순식간에 뛰어넘어 특별한 대우를 받았어. 전 세계를 날아다니며 의뢰받은 정치가와 스파이를 계속 죽였어."

롤랜드는 어깨를 으쓱였다.

"하지만 기다리고 있던 것은― 지루함이었어."

"……."

"너도 알겠지? 내 살인에 목적은 없어. 보라개미의 수족으로서 죽일 뿐이야. 하지만 그 녀석의 명령에는 거역하지 못하도록 세뇌당했어. 단순한 노예, 인형, 기계와 다를 바 없어. 나는 벨트 컨베이어로 운반되는 사람에게 『사망 완료』 라벨을 붙일 뿐이야."

살인을 잡무처럼 말하는 롤랜드는 이해할 수 없는 존재였다.

하지만 극히 일부분은 전해졌다.

그에게 살인은 너무 간단했던 것이다. 보통 사람을 뛰어넘은 남자에게 암살은 일상의 한 페이지가 되어 버렸다. 달걀을 깨듯, 물건을 사듯, 그는 사람의 심장을 터뜨릴 수 있으니까.

"내 인생은 뭘 위해 있는지― 그저 그것만을 생각했어."

"……그래."

"하지만 몇 년이 지났을 때 어떤 사람이 내게 가르쳐 줬어. 내 마음을 채울 수 있는 사람이 있다고. 예언 같은 매력이 있었어. 누구보다 강하고, 누구도 죽일 수 없고, 어떤 임무든 달성할 수 있는 괴물. 그게 나와의 만남을 채워 줄 거라는 생각이 들었어."

롤랜드는 우습다는 듯 킬킬거렸다.

"하지만 결과는 요 모양이지. —나는 그 남자의 상대조차 되지 않았어."

"……."

"자, 어때? 너와 공통점이 있지 않아? 큰 실패로 좌절하고 인생의 궤도를 어떻게 수정하면 좋을지 파악하지 못하고 있어. 아니야?"

자신을 꿰뚫어 보고 있었다.

티아는 구속당한 롤랜드의 모습에 자신의 모습을 투영하고 있었다. 똑같은 걸까. 몸이 묶여 있지는 않지만 마음은 꽁꽁 묶여 있었다.

실패하고 여전히 일어서지 못하고 있었다. 티아도, 그리고 롤랜드도.

"나랑 한 팀이 되자. 실패한 자들끼리 지금부터 인생을 되찾자."

따뜻한 목소리였다.

흔들리는 마음을 꾹 참아야 할 만큼.

"……당신의 제안은 이상해."

자신의 목소리 같지 않은 연약한 목소리였다.

"그 이야기가 옳다면 당신도 보라개미의 부하일 터."

"맞아. 그는 부하를 《일개미》라고 불러. 나는 그중 한 명이야."

"그럼 보라개미에게 거역할 수 없을 테지. 보고에 의하면 그들은 절대복종한다고 했어."

"다른 잔챙이와 똑같이 취급하지 마. 나는 지배가 느슨해."

"근거는……?"

"나는 자살하지 않잖아? 다른 《일개미》는 패배하면 자살을 시도해. 아니야?"

그 말이 맞았다.

모니카와 지비아의 보고에 의하면 패배한 적은 갑자기 자살하려 들었다. 혹은 치료 행위를 포기했다. 롤랜드와는 달랐다. 그의 이야기는 맞는 것 같았다.

"자, 나를 풀어 줄지 말지 선택해 줘."

롤랜드는 온화하게 웃었다.

남은 시간은 없었다. 망설이면 때를 놓치게 될 뿐이다.

동료의 모습이 머릿속에 어른거렸다.

그녀들과 줄곧 즐겁게 지냈다. 한 지붕 아래에서 함께 웃었다.

티아의 성적인 연애 이야기에 부끄러워하며 도주하는 릴리. 어이없는 척하면서도 몰래 흥미를 보이는 지비아. 얼굴이 새빨개지는 사라. 그 옆에서 그레테가 진지하게 메모하고, 모니카가 냉담한 눈으로 에르나의 귀를 막았다. 아네트는 고개를 갸웃했지만 같이 있는 게 편해 보이기는 했다.

식당에서 왁자지껄 떠들고 있으면 가끔 클라우스가 찾아왔다. 동료가 그에게 연애 경험을 묻고, 그는 싫다는 얼굴로 도망가고,

그를 막으려던 릴리가 넘어져서 웃음바다가 됐었다.

다시 한번 그런 날들을 보내고 싶다.

임무를 달성하고 단란하게 지내고 싶다. 설령 어떤 희생을 치르더라도—.

—롤랜드의 구속을 풀었다.

여벌 열쇠로 그를 묶은 쇠사슬을 풀었다. 자물쇠의 수는 스무개 이상.

잠금이 전부 풀리자 롤랜드는 앞으로 고꾸라져 바닥에 안면을 세게 박았다. 장기간 묶여 있어서 근육을 제대로 움직이지 못하는 것 같았다.

불안에 사로잡혔다. 이 상태로 적을 쓰러뜨릴 수 있을까.

그는 한동안 바닥에 누워 있었지만 이내 의자를 잡고서 일어났다. 몸을 일으켰어도 상체가 크게 전후좌우로 흔들려서 불안정했다. 머리가 휘청거렸다.

티아가 부축하려고 다가갔을 때, 롤랜드의 얼굴이 정면에 나타났다.

그리고 그는 웃었다.

"하나 보충해 두자면."

그는 크게 기지개를 켰다.

"내가 특별한 건 사실이야. 보라개미가 명령한 건 『패배하면 자살하라』가 아니야. 『패배하면 적을 속이고 반드시 돌아와라』지."

롤랜드의 모든 관절에서 삐걱거리는 소리가 났다. 뼈가 부서지는 듯한 무시무시한 소리와 함께 그의 몸을 덮은 근육이 자리를 잡았다. 흔들리던 상체가 우뚝 정지하고 남자는 당당히 일어섰다.

—풀어 주고 말았다.

—세계가 두려워하는 암살자를.

티아는 뒷걸음질 쳤다. 침실 창문에 등이 닿았다.

롤랜드는 순식간에 거리를 좁혔다. 이제 완전하게 움직일 수 있는 듯했다. 도망칠 새도 없이 목을 붙잡히고 몸이 뒤로 쑥 밀렸다.

창문의 잠금이 풀리며 활짝 열렸다.

8층 창문으로 티아의 상체가 튀어나왔다.

"너 정말 바보구나? 이렇게 간단히 속다니."

롤랜드는 비웃으며 티아의 목을 조르는 손에 힘을 줬다.

◇◇◇

왕이 지배하는 미타리오에 절망이 퍼져 나간다.

타개할 방법은 없는가—?

◇◇◇

티아는 차가운 바닥 위에서 눈을 떴다.

빌딩의 지하인 것 같았다. 어두운 공간에는 창문이 없었다. 간접 조명이 어렴풋이 실내를 밝히고 있었다. 작은 바인 듯했다. 좌석은 두 개뿐. 벽 일면에 술병이 늘어서 있고, 카운터에서 호리호리한 남자가 유리잔을 닦고 있었다.

티아는 바닥에 닿은 손에 위화감을 느끼고 자세히 살펴봤다. 바닥 전체에 붉은 피가 퍼져 있었다. 한 사람의 피가 아니라는 것을 직감으로 알 수 있었다. 이곳에서 수많은 인간이 죽은 것이다.

「여긴, 어디야……?」라고 물었지만 바텐더는 아무런 대답도 하지 않았다.

지니고 있었던 권총은 사라진 상태였다.

묶여 있지는 않은 것 같았다.

몸을 일으키자 카운터 옆에 있는 문에서 발소리가 들렸다.

그리고 모자를 쓴 정장 차림의 남성이 나타났다. 아주 자상하게 생겼다. 길게 빠진 실눈은 아이들에게 사랑받을 것 같은 온화한 인상을 줬다.

그는 티아를 보더니 가볍게 고개를 끄덕였다.

"역시 대단한 친구예요. 자력으로 빠져나오고 적까지 잡아 오다니. 무서운 재능이야."

티아는 그 남성의 정체를 알고 있었다.

무해해 보이는 남자의 비열한 본성을 알고 있었다.

"당신이, 보라개미……?"

"자기소개할 필요는 없을 것 같군요."

보라개미는 가볍게 모자를 들고 웃었다.

"처음 뵙겠습니다. 하지만 미안합니다. 이번에는 시간이 없으니 바로 죽여야겠어요. 죽으면서 얼른 유언을 남겨 주세요. 들어 드릴 테니."

"다정하네……."

"네, 「여성에게 다정하게」가 신조라서요."

"전혀 그럴 것 같지 않은데."

"이래 봬도 페미니스트랍니다. 여성을 때릴 때는 반성해요."

그의 미친 윤리관에 새삼 흥미는 없었다.

다만 그는 일을 서두르고 있는 것 같았다. 이유도 상상이 갔다.

"목적은 선생님이야……?"

"네. 당신의 시신을 보여 주면 동요하겠죠. 상당히 끈질겨요. 《일개미》 일흔세 명을 보냈는데 아직도 해치우지 못했어요. 그거, 정말로 인간인가요?"

역시 그는 전투 중인 듯했다. 방대한 적에게 둘러싸여 움직이지 못하고 있는 모양이다.

바텐더가 보라개미에게 권총을 건넸다. 합중국제 회전식 권총이었다. 보라개미는 정중히 한 발 한 발 총알을 넣었다. 어느 총알로 죽일지 생각하듯이.

티아는 입술을 깨물었다.

이후의 전개는 뻔히 보였다.

—자신은 목숨을 잃는다. 『등불』은 보라개미에게 패배했다. 예상

을 뛰어넘은 그의 지배에 유린당했다. 클라우스는 일흔 명 이상의 《일개미》와 싸우느라 동료를 구조하지 못한다.

—만약 정말 이대로라면 말이다.

티아는 살며시 고개를 흔들었다.

"……당신은 무적이구나."

"음?"

"단언할게. 지금 이 순간, 이 땅에서 가장 강한 스파이는 당신일 거야. 이쯤 되면 비겁해. 이런 상대에게 덤비는 것부터가 잘못됐어."

"네, 저는 왕이니까요. 그걸 이제야 알았나요?"

보라개미는 담담히 대답했다.

남다른 자신감이 있는 듯했다. 당연할지도 모른다. 전능감을 느낄 만한 힘이었다. 사람을 격통으로 지배하고, 자살을 명령할 수 있을 만큼 공고히 조종할 수 있다.

그의 노예가 밀집된 이 미타리오에서 그는 틀림없이 왕이다.

맞서는 것도 어리석다는 생각이 들었다.

"—맞아. 『지금 이 순간』은 무적이고, 『덤비는 시점』에는 틀림없이 그래."

작전의 근본을 틀렸다.

그를 공략하려고 『지금』 덤비는 것은 너무 무모하다. 아마 지금까지 수많은 스파이가 덤볐다가 패배했을 것이다.

그래서 사고의 전환이 필요했다.

마침내 알았다. 그가 만들어 내는 절망을 타파할 방법을.

"당신을 공략하려면 인식하는 방식을 바꿔야 해."

티아는 고했다.

"『지금』이 아니야. 『세월』로 이겨야 해."

그것이 찾아낸 답.

동료가 결사의 각오로 모은 정보로 도출할 수 있는 진실이었다.

답을 내자마자 줄곧 느꼈던 위화감이 연결되었다. 너무나도 빠른 보라개미의 대응과 이 미타리오에 만연한 소문.

절망을 타파하는 유일무이한 수단은— **여기서 죽은 『그녀』의 이름을 맞히는 것.**

그렇기에 보라개미에게 물었다.

"물을게. 당신은 **반년 전** 이곳에서— 홍로 씨를 죽였지?"

막간 보라개미④

보라개미는 고했다.

"—『홍로』. 그게 당신의 코드 네임이죠."

"……정답이야."

『그녀』— 홍로는 포기한 듯 고개를 끄덕였다.

정답을 얻었지만 보라개미는 의외라고 느꼈다.

그의 사명은 톨파 경제 회의 주변에 숨어든 스파이를 말살하는 것. 타국의 힘을 줄이기 위해서였다. 반년간 이어지는 톨파 경제 회의는 **이제 막 시작됐다.** 그는 눈 깜짝할 사이에 이름난 스파이들을 매장했다.

그리고 딘 공화국의 스파이로 보이는 여자를 잡는 데 성공했다. 흰거미가 경계하라고 했던 『화톳불』을 부르기 위한 인질이었는데, 설마 그 유명한 **홍로**일 줄이야.

보라개미는 눈앞에 쓰러진 여자를 다시금 바라보았다.

그녀의 코드 네임을 듣고 나니 한층 더 외모가 젊게 느껴졌다. 아무리 젊게 계산해도 30대 후반일 텐데 그런 느낌이 들지 않았다. 타는 듯한 붉은 머리를 길게 길렀고, 눈에는 격렬한 느낌마저 주는 힘이 있었다. 오른쪽 눈 밑에 깊은 상처가 나 있었다.

"당연히 바로 들킬 줄 알았는데."

홍로는 총에 맞은 복부를 누른 채 웃었다. 그녀의 발밑에 피 웅덩이가 생길 만큼 이미 많은 피를 흘렸다. 피부는 창백했다.

이제 그냥 잠들어 버리는 것이 편할 터다.

"굉장히 유치하게 말하는군요."

보라개미는 대답했다.

"아까까지는 입 다물고 있었는데."

"조금이라도 시간을 벌기 위해 노력한 거야. 하지만 이제 늦었어. 아아, 아쉽다. 나는 이제 죽는구나. 이렇게 다쳤으니 이제 어쩔 도리가 없어."

홍로의 얼굴에서는 후련함마저 보였다.

"하지만 정말 바로 들킬 줄 알았어. 내 정보는 유출됐잖아?"

"네. 게다가 당신은 원래부터 유명했으니까요."

"스파이로서 슬프네. 그럼 어째서 바로 못 알아봤어?"

보라개미는 대답하는 것을 주저했다.

다른 사람을 배려하다니, 그가 거의 하지 않는 짓이었다.

"—너무 약했기 때문입니다."

"어머."

"당신이 쌓아 올린 공적에 비해 눈앞에 있는 여성은 너무 약했어요."

그녀가 쌓아 올린 전설은 헤아릴 수 없이 많다.

세계 대전 중에 제국 육군의 정보를 연합국에 넘겨서 전쟁을 종결로 이끈 공적까지 있었다. 제국에게는 증오스러운 상대지만 스파이로서는 존경하지 않을 수 없었다.

"상상한 것보다 병이 빨리 진행됐군요. 판단력이 떨어지고 몸이 약해져서 고작 제 《일개미》 쉰 명에게 패배했어요. 도저히 홍로라고 생각할 수 없었죠."

"그러네…… 변명할 수 없어. 지금 나는 찌꺼기야."

"전성기의 10분의 1 수준일까요."

"그건 너무 보탰다. 기껏해야 9분의 1이야."

겸손한 건지 거만한 건지 알 수 없는 대답이었다.

홍로는 자조하듯 고개를 가로저었다.

"다음은, 내가 질문해도 될까? 클라우스를, 굉장히 경계하던데, 과연 여기 올까? 나는 특별히 아는 바가 없는데."

"글쎄요. 저도 모릅니다. 동료가 그를 함정에 빠뜨렸지만 도망친 모양이라…… 제국은 소식을 몰라요. 이렇게 당신을 잡으면 나타날 거라고 생각했지만."

"그럼 이 나라에는 안 왔나 보네."

"안타깝지만 그런 것 같군요."

보라개미는 홍로의 옆구리로 시선을 떨어뜨렸다. 바닥에 퍼지는 피 웅덩이. 이제 얼마 못 버틸 것이다.

"애처롭네요."

말을 걸었다.

"병에 걸리고, 동료에게 배신당하고, 다른 동료도 차례차례 죽고, 고립무원 신세로 미타리오에 왔어요. 그리고 제 《일개미》에게 유린당해 빛이 들지 않는 지하실에서 생애를 마치죠."

"……."

"이게, 이런 게…… 『세계 최고의 스파이』라고 숭상받던 여자의 말로인가요."

홍로는 이마에서 땀을 흘리며 미소 지었다.

"스파이의 말로는 전부 비슷해."

"그렇군요. 가슴에 새겨 두겠습니다."

보라개미도 자신이 편히 죽을 수 있을 거라고 기대하지는 않았다. 하지만 홍로의 죽음은 허무하다고 느꼈다.

너무 싱거웠다.

홍로라고 하면 제국에서도 존경하는 자가 많다. 마법처럼 정보를 훔치는 예술적인 수완은 패배한 적조차 한숨을 쉬게 할 정도였다. 『뱀』 안에도 홍로를 숭배하는 자가 있었다.

"이것이 스파이의 죽음— 그저 절망인가요."

"아니, 그렇지 않아."

보라개미의 말을 홍로는 부정했다.

죽음이 목전으로 다가온 상황에서 홍로는 웃고 있었다.

"희망으로 가득해. 미래가 너무 밝아서 눈이 부실 정도야."

"……당신의 동료는 화톳불을 빼고 전멸했습니다. 화톳불도 곧 죽을 겁니다."

"아니, 클라우스는 강해."

목소리는 확신에 차 있었다.

"나의 귀여운— 응, 아들이야. 피가 섞이진 않았지만, 그래도 내

아이야. 그 아이는 우리 『화염』의 모든 기술을 물려받았어. 살면서 그 아이만큼 재능을 가진 사람과 만난 적은 없었어."

"……."

"너의 메마른 마음은 그가 채워 줄 거야. 약속해. 이 홍로의 목숨을 걸고."

"딱히 저는 메마르지 않았지만 말이죠."

보라개미는 잘 이해할 수 없는 약속이었다. 하지만 가슴에 담아 뒀다.

그녀의 말에는 사람의 마음에 깊이 새겨지는 힘이 있었다. 언령이라고 하던가.

"그리고 또 한 명— 내 영혼을 이어받을 아이가 있어."

"호오……."

그건 모르는 정보였다.

파악한 바로는 홍로에게 혈연관계는 없었다. 관계는 『화염』의 멤버로 한정되었고, 제자 같은 것도 없었을 터다.

"눈을 보고 알았어. 내 영혼을 이어받는 건 그 아이라는 걸. 내 꿈은 그 아이가 이루어 줄 거야. 찌꺼기인 나보다도 많은 사람을 구할 거야."

"어떤 아이인지 가르쳐 주시겠습니까?"

"글쎄…… 마지막으로 만난 건 7년 전이니까. 지금은 어떻게 성장했으려나."

홍로는 고개를 가로저었다. 그 표정은 곧 죽을 사람처럼 안 보였다.

보라개미는 눈을 가늘게 떴다.

"쉽사리 믿을 수 없는 내용이군요."

죽기 직전에 거짓 정보를 흘려서 이쪽을 교란하려는 가능성이 농후했다. 7년이나 만나지 못한 소녀에게 기대하나니, 쉽게 믿기 어려웠다.

하지만 그녀의 증언에는 짚이는 것이 있었다.

『구한다』는 말은 미타리오에 만연한 소문과 일치했다.

"혹시 당신입니까? 제 《일개미》에게 묘한 소문을 불어넣은 사람이."

"글쎄, 뭘 말하는 거야?"

"—절망의 구렁텅이에서 흑발의 히어로가 나타난다는 소문이요."

시시한 헛소리라고 생각했다.

그 소문을 퍼뜨린 장본인이 설마 홍로였을 줄은 몰랐다.

궁지에 몰린 상황에서 소문을 유포하는 것 정도는 식은 죽 먹기겠지만.

홍로는 「들켰네」라며 한숨을 쉬었다.

"너무 불쌍했거든. 《일개미》라고 했던가? 너의 부하에게는 희망의 빛이 필요해. 뇌 깊숙한 곳에 심어 뒀어."

"잔혹한 짓을 하는군요. 가짜 희망을 주다니."

보라개미는 코웃음 쳤다.

"애초에 동정할 필요가 있나요? 제가 지배하는 건 남의 불행으로 먹고사는 쓰레기들입니다. 패전하여 빈곤에 허덕이는 제국의 비극을 양식 삼아 이 나라 사람들은 막대한 부를 축적했어요. 휘황찬란한 메인 스트리트를 보셨겠죠?"

늘어선 고층 빌딩과 번쩍이는 네온 광고.

전부 세계 대전으로 고통받는 대국을 상대로 장사하여 축적한 부다. 연합국 측에 계속 물자를 보급하여 제국 육군의 패배를 유도했다.

"대전으로 상처 입은 우리에게 있어서는 미워해야 할 적이잖아요?"

인생 전체를 바쳐야만 하는《일개미》를 조금도 동정하지 않았다. 패전하여 막대한 배상금에 허덕이는 자국민의 불행과 비교하면 별것 아니었다.

자신처럼 상냥한 왕에게 지배당하는 것을 감사히 여겨야 했다.

홍로의 눈이 냉담해졌다.

"경멸해. 그 썩어 빠진 사상을. 왜 피해자인 척하는지 모르겠는데, 너희 나라가 공화국을 침략해서 받은 피해를 나는 잊지 않아."

날카로운 어조로 고했다.

"히어로는 누구도 버리지 않아."

"……호오?"

"너의 결점을 가르쳐 줄게. 너는 사람의 마음까지 조종하진 못해. 아무리 폭력으로 협박해도 절망에 허덕이는 그들에게 깃든 빛까지 지울 수는 없어."

홍로는 분명하게 단언했다.

"내가 뿌린 건 가짜 희망이 아니야. —영웅은 찾아와."

늠름한 목소리였다.

"그 아이는 미타리오에 찾아와. 클라우스가 데리고 올 거야. 사람의 마음에 깃든 빛을 꿰뚫어 볼 수 있는— 너의 천적이 미타리오 사람들을 구해 낼 거야."

홍로는 상처에서 손을 떼고 자신의 품에 손을 넣었다. 그리고 총알을 하나 꺼냈다. 예비 총알일 것이다. 그녀는 총알을 손가락 사이에 끼워 보라개미에게 보여 줬다.

"그 아이는 내 마지막 《총알》— 너를 꿰뚫을 혼신의 한 방이야."

이쯤 되면 망언이었다. 판단력이 결여됐다고 말할 수밖에 없었다.

"이 이상 저를 실망시키지 마세요."

보라개미는 말했다.

"당신의 추태 같은 건 보고 싶지 않습니다. 너무나도 추락했어요. 병이 머리까지 도달한 거겠죠."

이제 시야에 담고 싶지도 않았다. 빨리 보내 주는 것이 인지상정이리라.

보라개미는 권총을 들고 그녀의 이마를 조준했다.

"그럼 마지막으로 딱 하나."

홍로는 출입구를 보더니 그 방향으로 피가 뚝뚝 떨어지는 손을 뻗었다.

"—도와줘, 클라우스."

"……!"

반사적으로 뒤돌았다. 설마 화톳불이 왔나 싶어서.

하지만 그곳에는 아무도 없었다. 그저 닫힌 문이 있을 뿐이었다.

시선을 되돌리자 가볍게 혀를 내민 홍로의 얼굴이 있었다.

"속았어?"

보라개미는 방아쇠를 당겼다.

홍로의 몸이 일순 튀었다. 탄환은 그녀의 머리를 뚫고 두개골을 뚫었다. 이어서 보라개미는 다섯 발을 연속으로 쐈다. 탄환은 전부 그녀의 내장까지 도달했을 것이다. 커다란 피 웅덩이가 퍼져 보라개미의 구두를 빨갛게 더럽혔다.

그녀의 손에서 총알이 떨어졌다.

보라개미는 시신에서 눈을 떼고 아연해하는 애견을 후려쳤다.

"시신은 딘 공화국에 보내세요. 절대 이곳을 알아낼 수 없도록."

보라개미는 지하실에서 나갔다.

성취감 따위 없었다. 허무하기만 했다. 홍로라는 전설의 스파이조차 이렇게 간단히 죽음을 맞이했다.

보라개미는 우뚝 선 웨스트포트 빌딩을 바라보았다.

말없이 그저 침묵하는 그것은 묘비처럼 보였다.

5장 지배와 교섭

"맞습니다. 홍로는 이곳에서 죽었습니다. 어떻게 알았죠?"

보라개미의 말을 듣고 티아는 눈을 감았다.

그의 의문에 답해 줄 이유도 없었다. 지금 받아들여야 하는 것은 은인의 마음이었다.

가슴이 아팠다. 홍로는 이 지하실에서 고독하게 목숨을 잃었다. 보라개미에게 핍박당하고 죽었다. 이 남자가 자비를 베풀지는 않았을 것이다. 시간을 들여서 고통을 주고 목숨을 빼앗았으리라.

참을 수 없이 분했다.

뜻을 이루지 못하고 죽은 그녀는 틀림없이 안타까운 마음이었을 것이다.

하지만 죽으면서 메시지를 남겼다. 궁지에 몰린 그녀는 《일개미》에게 속삭여 암시를 걸었다.

—영웅이 찾아온다. 흑발 소녀가 너희를 절망에서 구해 낸다.

그녀는 기억하고 있었다. 7년 전에 만난 티아를. 그녀의 꿈에 공감했던 어린 자신을.

그리고 보라개미를 타도할 희망을 티아에게 맡겼다.

'나를 줄곧 기억해 줘서 고마워요, 홍로 씨.'

하염없이 눈물이 흘렀다.

그녀는 자신의 마음을 몇 번이나 구해 주려는 걸까.

'……아니, 나를 지탱해 준 건 홍로 씨뿐만이 아니야.'

동료들 덕분에 진상에 도달할 수 있었다.

그레테는 떠나면서 보고서를 다시 읽어 보라고 지시했나. 동료가 보낸 보고서였다. 긴박한 사태가 이어져서 말해 주는 게 늦어졌을 것이다.

그 보고서에는 정보뿐만 아니라 메시지가 적혀 있었다.

모니카와 사라가 보낸 보고서의 말미에는 이렇게 쓰여 있었다.

『추신. 내가 이렇게나 노력했으니까 너희도 잘 좀 부탁해. 특히 망할 색녀. 작작 좀 해. 지금의 너는 빵점이야.』

그녀다운 엄격한 말이었다.

그 후에는 사라의 필적으로 적혀 있었다.

『다음 문장은 『빙인』 선배 몰래 쓰는 거예요. 『빙인』 선배는 줄곧 『몽어』 선배를 걱정하고 있어요. 물론 저도 그렇고요.』

읽었을 때 웃어 버렸다.

사라의 배려로 모니카의 상냥함이 전해졌다.

지비아와 에르나가 보낸 보고서에도 그녀들의 메시지가 있었다.

『P.S. 정보조의 야한 쪽. 슬슬 털고 일어나. 너는 선발조잖아? 별로 말하지는 않지만, 나는 가끔 뽑히지 않은 걸 신경 쓴다고.』

『~~에르나는~~(정정. 이름을 밝히면 안 됐는데) 나는 언니의 노력을 알아. 너무나도 상냥한 언니의 생각은 멋져.』

아네트와 릴리의 마음은 이미 전화로 전달받았다.

『나님은 누님이 사라지지 않았으면 좋겠어요.』

『이 소문에 편승해서 히어로가 되어 주세요.』

그레테는 직접 말해 줬다.

『자신이 할 수 있는 최선을 생각해 주세요. 믿고 있어요…….』

정신 차리고 보니 동료 전원에게 격려를 받은 상태였다.

가슴이 따뜻한 온기로 가득 차올랐다.

'미안해, 얘들아…… 걱정 끼쳤네. ……그렇지, 눈치 못 챌 리가 없어. 줄곧 같이 지냈으니까…….'

혹시 몰래 협의한 걸까. 임무가 한창인데도 여전히 티아가 좌절해 있으면 보고서에 메시지를 적자고.

기획한 사람은 틀림없이 릴리다. 스파이라고는 생각할 수 없는, 흔히 볼 수 있는 여학생의 발상이다.

하지만 그런 배려가 기뻤다.

그리고 좌절을 극복했을 때의 방침은 클라우스가 알려 줬다.

『냉혹함이 팀을 구할 때도 있는가 하면 너의 무른 생각이 팀을 구할 때도 올 거야.』

마침내 진의를 이해할 수 있었다.

자신은 지금 이대로면 된다. 그는 티아의 이상(理想)을 인정하고 있었다. 자신은 그를 믿기만 하면 됐던 것이다. 물러 터진 자기 자신을 자랑스러워하면 된다.

―지켜봐 줬으면 좋겠다.

—쉬운 여자고, 금세 좌절하는 약한 자신이지만, 이 절망을 뒤집어 보일 테니까.

역경 따위 두려워할 것이 못 되었다.

"보라개미 씨."

티아는 눈을 떴다.

"내가— 영웅이 왔어."

"자기 입으로 할 말인가요?"

"응. 결판을 내자."

보라개미의 정면에서 시선을 마주했다.

지금이라면 알 수 있다. 자웅을 겨뤄야 할 사람은 자신이다. 이 왕을 영웅이 타도하겠다.

보라개미는 불쾌한 듯 모자를 들어 머리를 쓸어 올리고 다시 썼다.

"흑발 소녀…… 그랬군요, 영웅이란 당신을 말하는 거였군요."

불쾌해하며 눈썹을 찌푸렸다.

"연락이 왔을 때 가슴이 뛰었는데 말이죠. 상황도 이해하지 못한 계집애였을 줄이야."

"어머, 상황은 파악하고 있어. 나는 붙잡혔지."

"그리고 이제 죽을 겁니다."

보라개미는 바텐더를 보며 손가락을 딱 튕겼다.

"더 잔혹한 방법으로 갈까요. 그편이 정취가 있어요."

줄곧 유리잔을 닦던 바텐더의 몸이 흠칫 떨렸다.

아직 20대 중반쯤으로 보이는 남성이었다. 보라개미가 말을 걸기 전까지 몸의 축이 전혀 흔들리지 않았었다. 잘 단련된 몸일 것이다.

그는 줄곧 태연한 얼굴로 있었지만 보라개미가 노려보자 떨기 시작했다.

"소개하죠. 이 친구는 이름 있는 무도가라 《일개미》 열 명이 달려들어서 구속해야 했어요. 제 고문을 받은 뒤로는 한층 격투 기술을 갈고닦았죠. 성인 남성의 최단 해체 시간은 30초예요."

보라개미는 다시 손가락을 튕겼다.

"10초 만에 해체하지 못하면 벌을 주겠어요. 【죽여.】"

바텐더는 카운터 아래로 몸을 숙이더니 커다란 도끼를 들고 일어났다. 대비할 시간도 주지 않고 카운터를 뛰어넘어 티아의 정수리에 도끼를 찍으려고 했다.

그의 표정은 공포에 물들어 있었다.

얼굴은 땀범벅이 되어 착란에 빠진 표정을 짓고 있었다.

"—【하지 마.】"

바텐더의 도끼가 우뚝 멈췄다. 시간이 멈춘 것처럼.

보라개미가 눈을 크게 떴다.

방금 그 명령은 티아의 입에서 나온 것이었다. 그녀의 명령이 보라개미의 지배를 덮어씌웠다.

티아는 자신의 목을 만졌다.

"이 『목소리』를 알지? 바텐더 씨. 이 지하실에서 당신도 홍로 씨를 보지 않았어?"

"……으."

남자의 입에서 신음이 흘러나왔다.

티아의 목소리는 홍로에게 물려받은 것이었다. 그녀의 어조, 억양, 리듬, 속도를 모방하고 있었다. 어릴 적 목소리를 잃고, 홍로를 따라 하여 되찾았다.

티아는 그의 앞에 서서 살며시 뺨을 만졌다.

움직이지 않는 상대와 마주 보는 것은 쉬웠다.

—상대의 소망을 읽었다.

그리고 미소 지었다.

"……그래, 당신은 줄곧 기다리고 있었어. 이 『목소리』가 영웅이 온다고 한 이후로 줄곧 기대했어. 공포의 지배 속에서 빛을 추구하며 계속 발버둥 쳤어."

그들에게 티아의 『목소리』는 특효약과 같았다.

홍로가 마음에 스며들게 한 암시가 반년간의 숙성을 거쳐 꽃피우려고 했다.

"걱정하지 마. 이제 구원받아도 돼. 내가 구해 주러 왔어. 흑발의 영웅이."

티아는 남자의 몸에 팔을 두르고 살며시 끌어안았다.

적을 안아 줬다. 적을 불쌍히 여겼다. 적을 사랑했다.

팔로 감싸고, 등을 쓸어 주며, 가슴으로 품었다. 그리고 상대가 가장 바라던 말을 속삭였다.

"—【당신은 사람을 죽이지 않아도 돼.】"

남자의 몸이 무너졌다.

매달리듯 티아의 허리를 끌어안고 아기처럼 소리 높여 울기 시작했다. 티아는 그런 남자의 머리를 쓰다듬으며 괜찮다고 몇 번이고 말해 줬다.

마음을 들여다보고 전부 알았다.

그에게는 사랑하는 연인이 있었다. 그녀와의 결혼을 꿈꾸며 지하 격투기로 상금을 벌었다. 청혼 전날 갑자기 폭한의 습격을 받고 보라개미에게 고문을 받았다. 공포를 이기지 못하고 그는 연인을 제 손으로 교살했고, 그 후로도 살육을 반복하는 노예로 전락했다—.

그 죄와, 후회와, 지옥을, 티아는 용서해 줬다.

보라개미가 크게 한숨을 쉬는 것이 들렸다.

"……솔직히 놀랐습니다. 설마 명령을 덮어씌울 줄은 몰랐어요."

보라개미는 눈썹을 찌푸리고 있었다.

"하지만 괜찮겠습니까? 그 남자는 연쇄 살인범이에요. 내 명령이었다지만 지금까지 열 명이 넘는 인간을 죽였어요. 과연 구원받아도 되는 존재일까요?"

"응, 당연하지."

"제정신이 아니군요, 당신."

뭐라고 말하든 상관없다. 티아는 자신이 나아가는 길에 당당했다.

몇 번을 좌절해도, 몇 번을 상처 입어도, 홍로에게 물려받은 뜻이 있다.

"뭐, 한 명 정도 지배가 풀려도 상관없습니다."

보라개미는 아까 총알을 넣은 회전식 권총의 실린더를 결합했다.

"어쩔 수 없네요. 직접 죽이기로 할까요. 여성을 괴롭히는 건 페미니스트인 제게 괴로운 일이지만."

"당신은 페미니스트가 아니야……."

"여성을 때리는 건 싫어해요. 발기해서 부끄럽거든요."

보라개미가 권총을 겨눴을 때, 바텐더가 티아의 방패가 되려는 것처럼 막아섰다. 지켜 주려는 모양이다.

그 멋진 모습은 고마웠지만 그를 희생시킬 마음은 추호도 없었다.

"미안하지만 나는 직접 싸우는 타입이 아니니까 이렇게 말할게."

티아는 출입구를 보았다.

"—도와줘, 선생님."

보라개미는 픽 웃으며 어쨌선지 모멸의 시선을 보냈다. 그 거짓말은 통하지 않는다는 것처럼.

하지만 대답은 있었다.

"도와줄게."

힘 있는 목소리가 울렸다.

보라개미가 동요하며 눈을 부릅뜨고 뒤돌았다.

출입구에 클라우스가 서 있었다. 본인은 다치지 않았지만 옷자락에 피가 튀어 있었다. 지금까지 격전을 벌이다가 왔을 것이다.

그는 작게 고개를 끄덕였다.

“이상한 기분이야. 나는 줄곧 이 말을 전하고 싶었던 것 같아. 그리고 지금껏 전하지 못한 것이 참을 수 없이 애석해.”

바닥에 남은 혈흔을 쓸쓸하게 바라보았다.

보라개미는 클라우스가 나타나 동요한 것 같았다. 티아와 클라우스를 번갈아 보며 두 사람의 중간으로 이동했다.

“당신이 클라우스 군이군요……. 이곳을 어떻게 알았죠?”

“네게 알려 줄 필요는 없지.”

“제가 보낸 《일개미》 일흔세 명은?”

“전부 쓰러뜨렸다만?”

““…………””

보라개미와 티아가 동시에 침묵했다.

차원이 너무 달랐다.

소녀들은 《일개미》 한 명에게 고전했다. 열 명 이상이 동시에 습격하자 목숨이 위험해졌다. 그런데 클라우스는 일흔세 명을 상대로 상처 없이 승리를 거둔 모양이다.

“놀라는 것도 무리는 아니지.”

클라우스는 만족스럽게 팔짱을 꼈다.

“하지만 세계 최강인 내게 걸리면 이 정도는 대수롭지도—.”

“선생님.”

티아가 말을 막았다.

“음?”

“……자릿수가 너무 달라서 얼마나 대단한 건지 잘 전달되지 않아.”

"그건 너무 슬픈 이야기인데."

"일선을 넘어서 『그냥 적이 약한 것 아닌가?』라는 생각이 들 정도야."

"너무 불합리하잖아."

클라우스는 미묘하게 상처받은 표정을 지었다.

하지만 사실이니 어쩔 수 없었다. 물론 대단한 거겠지만.

"그들도 한 명 한 명 강적이었어."

적의 실력을 두둔해 주고서 클라우스는 보라개미에게 고개를 돌렸다.

지하에 있는 사람은 네 명. 보라개미, 티아, 티아의 동료가 된 바텐더, 그리고 클라우스뿐이었다. 창문과 같은 도주로도 없었다.

입장은 역전되었다.

위기에 빠진 것은— 보라개미였다. 클라우스의 초인적인 격투술에 어떻게 맞서려는 걸까.

"……그렇군요. 소문보다 더 성가신 상대예요."

보라개미는 어깨를 으쓱였다.

"다만 잡졸을 해치운 것 가지고 우쭐해지지 않는 게 좋을 겁니다. 나는 미타리오의 왕이에요."

뭔가가 온다—.

그렇게 느낀 순간, 클라우스가 먼저 움직였다. 1초도 안 되어 회전식 권총을 쥐더니 보라개미를 향해 발포했다.

그보다 먼저 보라개미가 외쳤다.

"—【지켜】!"

조금 전까지 티아를 감싸듯 서 있었던 바텐더의 몸이 움직였다. 이성이 아니라 반사적으로 움직인 것 같았다. 그렇게 뇌에 박혀 있는 것이다.

클라우스의 총알은 바텐더의 어깻죽지에 맞았다.

"—【죽여】. 이 녀석들의 헛소리를 믿지 마. —【죽여.】【죽여.】【죽여.】"

목에서 쥐어짜듯 보라개미가 외쳤다. 티아의 말을 덮어씌우려는 것처럼.

그리고 바텐더의 보호를 받아 지하실 안쪽으로 달려갔다. 벽인 줄 알았던 곳에 손을 올리고서 뚫고 지나갔다.

"비밀 통로……!"

최악의 사태를 상정하여 탈출 경로를 준비해 둔 모양이다.

역시 만만치 않았다.

클라우스는 바텐더를 제압하고 있었다. 착란에 빠져 날뛰는 그에게 티아는 다시 말을 걸어 진정시켰다. 아직 보라개미의 지배를 지울 수 없었다. 괴롭게 소리 지르며 몸부림쳤다.

역시 모든 《일개미》를 구하려면 보라개미를 타도해야 할 듯했다.

클라우스는 바텐더에게 수면제를 먹여 강제로 재웠다.

"쫓아가자."

티아가 말했다.

반면 클라우스는 신묘한 얼굴로 바닥을 바라보고 있었다. 뭔가를 알아차렸는지 몸을 굽혀 의자 아래로 손을 뻗었다.

"……보스가 애용하던 총알이야."

그의 손에 작은 총알이 올려져 있었다.

역시 그녀는 여기서 죽은 모양이다. 마지막에 그녀의 유품이 바닥을 굴러갔고 방치되었을 것이다.

"가자. 티아, 원수를 갚자."

총알을 움켜쥐고 클라우스가 말했다.

"응, 선생님. 결판을 내자."

보라개미는 이미 비밀 통로로 탈출했다. 하지만 이걸로 달아날 수 있을 거라고 생각하진 않을 것이다. 시간 벌기이리라. 남은《일개미》를 소집하여 준비하기 위해.

미타리오의 결전은 최종 국면을 맞이했다.

클라우스와 티아가 비밀 통로를 빠져나가니 바로 지상으로 나왔다.

얼굴을 들자 커다란 빌딩이 우뚝 서 있었다. 몇 주간 질리도록 본 웨스트포트 빌딩. 설마 보라개미의 은신처가 도시 한복판에 있을 줄은 몰랐다.

클라우스는 보라개미의 희미한 발소리를 추적할 수 있는 것 같았다. 그는 뒤편에 있는 비상용 출구로 안에 들어가서 점검용 계단을 뛰어 올라가고 있는 모양이었다. 경비원도 그의 수하인지 덤벼들었지만 티아의 한마디에 멈췄다.

"—【하지 마.】"

그들은 티아의 모습을 보고 멍하니 멈춰 섰다. 잠시 후 퍼뜩 정신을 차리고 움직이기 시작했지만 클라우스의 신속한 주먹을 맞고 기절했다.

티아는 입술을 깨물었다.

'얼마나 많은 사람이 영웅을 고대하고 있던 거야……?'

홍로가 《일개미》에게 건 암시— 절망한 그들에게 생겨난 유일한 희망.

격통을 느끼며 사람을 계속 죽여야 했다. 그런 그들에게는 『언젠가 흑발의 소녀 영웅이 구하러 온다』라는 황당무계한 이야기도 눈부시게 느껴졌을 것이 틀림없다.

—구해 내야만 한다. 자신을 죽이려 드는 적이어도.

티아는 빌딩의 외부 계단을 뛰어 올라갔다.

외부 계단에서도 달려드는 《일개미》에게 방해받으면서 클라우스와 티아는 동시에 8층에 도달했다.

웨스트포트 빌딩 8층의 옥상 정원.

47층 건물인 웨스트포트 빌딩의 8층에는 관광객용으로 옥상 정원이 개방되어 있었다. 톨파 경제 회의 개최 중에는 폐쇄되었고 게다가 심야라서 사람은 없었다.

넓이는 테니스 코트 세 개 정도일까. 동쪽과 서쪽에 분수가 있고, 그 주위를 장미 화단이 에워싸고 있었다. 중앙에는 청동제 조형물이 진좌해 있었다. 날갯짓하는 비둘기를 자애롭게 바라보는 여신상이었다.

그 동상 밑에서 보라개미가 기다리고 있었다.

"여기가 네가 바란 장소인가?"

"네, 굳이 쫓아와 주다니, 참으로 고맙네요."

보라개미는 여신상을 애틋하게 쓰다듬었다.

"이 여신상은 항구에도 세워져 있습니다. 이미 찾아가 보셨나요? 자유의 상징이라더군요. 대륙에서 온 이주자가 쟁취한 독립을 기리는 조각상입니다."

"너와는 정반대인 존재군."

"네. 저는 아주 싫어해요. 구역질이 날 정도로."

보라개미는 클라우스와 티아를 향해 손을 뻗었다.

"그러니 이 여신상 앞에서 당신들을 죽이겠습니다."

그가 말함과 동시에 화단의 그늘에서 사람이 튀어나왔다. 눈에 보인 사람은 세 명. 전원이 권총을 클라우스와 티아에게 겨누고 있었다.

"……!"

티아가 몸을 빼는 것보다도 클라우스의 반응이 더 빨랐다. 즉각 후방으로 뛰고 티아의 옷을 잡아당겨 상대의 조준에서 벗어났다.

총알이 눈앞을 스쳤다.

타이밍과 겨냥이 절묘했다.

턱시도 차림의 인간들이 보라개미 곁에 모였다. 아홉 명. 남녀노소의 구별이 없었다. 앳된 티가 남은 소녀도 있는가 하면 초로에 접어들었을 남성도 있었다. 주부로 보이는 여성부터 한창 젊은 남성까지. 공통 사항은 전부 눈이 탁하다는 점이었다.

"《아홉 마리 장군개미》."

보라개미가 자랑스레 웃었다.

"나는 그렇게 부르고 있습니다. 이게 비장의 수단이에요."

그는 여신상의 받침대에 앉았다. 그곳이 옥좌인 것처럼.

클라우스가 회전식 권총을 쐈다. 티아에게는 그가 총을 꺼내는 것도 보이지 않았다.

하지만 보라개미를 노리고 쏜 총알은 그의 수하에게 막혔다. 두 사람이 방패 같은 것을 들고 보라개미를 보호했다.

클라우스가 감탄하며 중얼거렸다.

"이제껏 싸웠던 잡졸과는 다른 것 같군."

"네. 총세 400명을 넘는 《일개미》에서 엄선한 아홉 명이죠."

보라개미는 태연한 얼굴로 대답했다.

티아가 즉각 「—【멈춰】」라고 말했다.

하지만 그들은 동요하지 않았다. 통하지 않는 것 같았다.

'……저들은 홍로 씨와 만나지 않았어. 정보도 차단되어서 소문을 몰라.'

틀림없이 보라개미의 비장의 카드였다.

왕을 지키기 위한 아홉 강자—.

"……물러나 있어."

클라우스가 티아를 슬쩍 뒤로 보냈다.

『목소리』가 통하지 않으니 티아는 방해만 될 뿐이다. 분하지만 옥상 정원의 출입구까지 물러났다.

보라개미가 손가락을 튕겼다.

그것을 신호로 《장군개미》 아홉 명이 일제히 클라우스에게 달려들었다. 어떤 이는 단검을 들고서, 어떤 이는 세검을 들고서, 각자 흉기를 들고 클라우스를 에워쌌다.

"—윽."

클라우스는 여성이 찌르는 세검을 단검으로 튕기고 권총의 그립 부분으로 목을 치려고 했다. 하지만 직전에 공격을 멈추고 옆으로 뛰었다. 그의 발밑에 총알이 날아와 콘크리트가 튀었다. 조금 떨어진 곳에서 초로의 남성이 소총을 들고 있었다.

클라우스가 사선에서 벗어나자 두 소년이 동시에 장검을 휘두르며 달려들었다.

베인다—.

그렇게 티아가 각오했지만 클라우스는 이번에도 직전에 후방으로 물러났다.

정원에 뭔가가 날렸다. 클라우스의 잘린 옷자락이었다.

그 결과를 보고 보라개미는 만족스럽게 고개를 끄덕였다.

"들었습니다. 당신은 공화국에서 우리 쪽 흰거미를 놓쳤어요."

"……."

클라우스는 옷소매를 바라보며 입을 다물고 있었다.

보라개미는 받침대에서 여유롭게 말했다.

"이유는 간단해요. 당신은 거미 군의 정보가 없었고, 거미 군은 당신을 알고 있었으니까. 성장 환경, 강함, 약점, 공략법까지."

"그런 것 같군."

"정보가 누설된 스파이에게 승산은 없어요."

보라개미가 말을 마침과 동시에 《장군개미》가 습격을 재개했다.

완벽한 콤비네이션이었다. 한 명이 단검을 찌르고, 그 겨드랑이 아래를 지나 총알이 날아왔다. 클라우스의 로킥은 또 다른 사람에게 막히고, 그 머리 위에서 장검이 휘둘렸다.

마치 하나의 생명체 같았다.

열여덟 개의 눈과 열여덟 개의 손이 자유롭게 움직여 공격과 방어를 동시에 수행했다.

저들은 얼마나 많은 시간을 단련에 썼을까. 하루아침에 만들어지는 실력이 아니다. 1만 시간, 2만 시간, 천재가 인생 전체를 희생하여 마침내 도달할 수 있는 경지. 그리고 그것을 실현시키는 것이—보라개미의 지배였다.

하지만 그래도 티아는 믿을 수 없었다.

'선생님이 밀리고 있어……?'

격투로는 비할 데 없이 강한 클라우스가 방어 일변도였다.

마음 한편에 근거 없는 기대가 있었다. 선생님이라면 9 대 1이든 100 대 1이든 굴복하지 않을 거라고.

그래서 눈앞의 광경을 받아들일 수가 없었다.

대체 왜—.

"아아, 역시나. 정보대로네요."

티아가 당황하고 있으니 보라개미가 말하기 시작했다.

그 목소리에서 우월감이 묻어났다.

"동료가 신경 쓰이는 거죠? 지금쯤 죽었을지도 모르니까."

"——!"

티아는 눈을 크게 떴다.

허풍이라고 생각했다.

하지만 클라우스의 움직임은 평소보다 실력이 떨어져 보였다. 완벽한 콤비네이션으로 가하는 《장군개미》의 공격을 내내 막고 피하기만 했다.

그 얼굴에는 땀이 맺혀 있었다.

초일류 스파이가— 동요?

클라우스의 능력과 맞물리지 않아서 티아는 눈썹을 찌푸렸다.

"들었습니다. 공교롭게도 당신도 왕이라고 불렸더군요."

보라개미는 도발을 계속했다.

그러는 동안에도 《장군개미》는 클라우스에게 맹공을 가하고 있었다.

"전쟁으로 황폐해진 슬럼가에서 살던, 부모도 이름도 없는 전쟁고아. 갱에게서 먹을 것을 훔쳐 허기를 달래고. 너무 강해서 주위 사람들은 섬뜩하게 여겼죠. 쓰레기장에 사는 외톨이 꼬마. 그래서 붙은 별명이 『쓰레기왕』."

"……."

"그랬던 아이가 스파이에게 거둬져 처음으로 동료를 얻었어요. 멋진 일이에요. 하지만 명확한 약점이 생기게 되었죠. —동료를 『가족』처럼 사랑해 버려서."

보라개미는 연민하는 눈빛을 보냈다.

"트라우마죠? —동료를 잃는 게."

그때였다.

클라우스의 방이를 뚫고 《장군개미》 한 명이 클라우스에게 바싹 붙었다. 그의 옆구리에 주먹이 꽂혔다.

클라우스는 몸을 틀어 충격을 죽인 것 같지만 얼굴에서 고통이 보였다.

티아가 처음으로 본— 클라우스가 공격받은 순간이었다.

그는 곧장 적을 걷어차 거리를 벌렸다.

일단 《장군개미》의 공격이 멈췄다. 유리하다고 느끼고 조급하게 굴지도 않았다. 기계 같은 무표정으로 대형을 갖췄다. 빈틈이 느껴지지 않았다.

"당신은 두 번 다시 동료 따위 만들지 말아야 했어요."

보라개미가 고했다.

"왕처럼 살아야 했어. 쓰고 버리는 노예를 거느렸다면— 약해지지 않았을 텐데."

보라개미는 받침대에 앉아 미동도 하지 않았다.

일방적으로 초췌해지는 클라우스를 그저 가학적인 눈으로 바라볼 뿐이었다.

"선생님……."

티아는 클라우스와 처음 만났을 때를 떠올렸다. 아지랑이 팰리스에서 그와 처음으로 대면했을 때, 그의 눈은 얼어붙은 것처럼 쓸쓸해 보였다. 시간이 나면 『가족』이라는 이름의 그림 앞에 서 있었다.

—동료를 잃고 고독하게 계속 싸웠던 스파이.

하지만 그는 『등불』을 만들었다. 보스로서, 교관으로서, 소녀들을 동료로 삼기로 했다. 선생도 학생도 어려움을 극복하고 훈련하여 불가능 임무를 완수했다.

그 나날은 소녀들에게 확실히 은혜를 가져다주었다.

하지만 클라우스 본인에게는 무엇을 가져다줬을까?

"포기하시죠."

보라개미는 선고했다.

"완전한 상태의 당신이어도 《장군개미》는 이길 수 없습니다. 심란한 상태라면 더더욱 불가능해요."

너무나도 불리한 상황이 클라우스의 눈앞을 가로막고 있었다.

일방적으로 정보가 유출되었고, 보라개미는 완전한 태세를 갖춰 클라우스를 맞이했다.

불안에 사로잡힌 티아의 시선 끝에서 클라우스는 웃을 털고 있었다.

"……주절주절 떠드는 고견 잘 들었어."

그는 여유 있는 태도를 무너뜨리지 않았다.

아홉 명이나 되는 강적에게 포위당했는데도 여전히 당당했다.

"길게 얘기해 줬는데 미안하지만 한참 잘못 짚었어. 아까부터 나는 낙담하고 있어. 너무 지루해."

"지루하다고요? 무슨 말이죠?"

보라개미는 의아해하며 눈썹을 찌푸렸다.

클라우스는 깊이 한숨을 쉬었다.

"솔직히 말하지. 질렸어."

"허?"

"《아홉 마리 장군개미》라고 거창하게 떠들었지만 하는 짓은 원패턴이야. 강한 인간을 숫자로 복종시켜서 아군으로 만드는 게 전부지. 너무 시시해."

"……."

보라개미는 말문이 막힌 듯 굳어 있었다.

확실히 클라우스의 말은 정곡을 찔렀다.

상당히 강력하긴 하지만 보라개미의 특기는 하나뿐이다. 사람을 지배하여 공격시키는 게 다다. 심플하기에 강력하지만, 그 이상도 아니고 그 이하도 아니다.

'그게 돌파구……?'

티아가 클라우스의 진의를 생각하고 있을 때, 그가 차갑게 내뱉었다.

"부하가 몇백 명 있어도 너 혼자만의 발상으로 움직여. 시시한 왕국이야."

그 자신이 했던 말. 아니, 홍로가 남긴 가르침이었던가.

—멤버의 다름이 조직의 열쇠라고 했다.

거기서 클라우스가 뒤돌았다.

"너도 그렇게 생각하지? 티아."

"……!"

갑자기 말을 걸어왔다.

한 박자 늦게 티아도 진의를 헤아렸다.

「……응, 맞아. 더할 나위 없이 주무르기 쉬워」 하고 미소로 화답했다.

보라개미는 짜증이 난 것처럼 눈가를 누르고 있었다.

"무슨 헛소리인지는 모르겠지만……."

손가락을 딱 튕겼다.

"그렇다면 그걸 유언으로 남기고 패배하세요. ―【여자를 인질로 잡아.】"

그가 말하자 재차 《장군개미》가 움직였다.

패턴이 변했다. 일곱 명이 클라우스에게 가고 나머지 두 명은 출입구에서 관전하던 티아를 노렸다. 장검을 든 쌍둥이 소년이 티아에게 달려들었다.

물론 티아에게 맞설 방도는 없었다. 클라우스가 도와주러 올 시간도 없다.

하지만 티아는 어떤 인물의 발소리를 듣고 있었다. 계단을 뛰어올라오는 발소리를.

"분명 선생님은 안 좋아하겠지."

장검이 목에 쇄도하기 직전에 티아는 말했다.

"**―그 남자**를 동료로 삼는 선택 같은 건."

마침내 도착했다.

자신의 최강 보디가드가.

"지시를 내릴게."

고아한 미소를 머금었다.

"【나를 지켜.】"

쌍둥이 《장군개미》가 동시에 움직임을 멈췄다.

티아의 눈앞에 한 남자가 나타났다. 그가 뻗은 양팔이 쌍둥이 《장군개미》의 목을 잡고 있었다. 빼빼 마른 팔로 두 소년을 들고 있었다.

「수고했어」라고 말하며 티아는 미소 지었다.

"제법이잖아."

「고마워」 하고 롤랜드가 대답했다.

그는 적을 분수의 조각상에다가 호쾌하게 내던졌다.

"——!"

보라개미가 깜짝 놀랐다.

하지만 깨달았을 것이다. 클라우스가 보라개미의 아지트를 알아낸 이유를.

홍로가 남긴 또 하나의 암시를.

"누군지 알지?"

티아는 롤랜드의 턱을 손끝으로 들어 올렸다.

"홍로의 임종 자리에 있었던— 당신의 애견이야."

◇◇◇

시간은 한 시간 전으로 거슬러 올라간다.

"너 정말 바보구나? 이렇게 간단히 속다니."

풀려난 롤랜드는 티아의 목을 졸랐다. 살을 파고드는 손가락을 느끼며 티아는 어떤 추측에 도달해 있었다.

동료가 목숨 걸고 모은 정보— 미타리오의 영웅.

소문을 퍼뜨렸을 사람은 한 명밖에 없었다. 보라개미의 《일개미》와 엮일 만한 세계에 살면서 티아와의 약속을 아는 존재. 홍로.

그녀는 『뱀』에게 살해당했다고 했다. 미타리오에서 보라개미에게 죽었다고 추측하는 것이 타당하리라. 그리고 그녀는 죽으면서 보라개미의 《일개미》에게 암시를 심었다.

하지만 그녀가 심은 것은 영웅의 소문뿐일까—?

'아니야……. 기묘한 행동을 하던 관계자가 한 명 더 있어…….'

그가 보라개미와 접점이 있었다는 것은 임무를 개시하기 전에 발각됐다.

생각해 보면 그의 부자연스러운 행동을 클라우스는 줄곧 의문스러워했었다.

'누군가에게 『클라우스는 라이벌이 될 만하다』라는 새빨간 거짓말을 들은 남자…….'

그렇구나, 하고 이해했다. 전부 홍로의 생각대로 된 것이다.

자신이 죽고 클라우스가 새로운 스파이팀을 만들 것도, 티아를 찾아낼 것도, 그리고 거짓말을 믿은 롤랜드가 언젠가 클라우스에게 도전하여 패배할 것도. 롤랜드가 정보를 실토해서 클라우스와 자신이 보라개미에게 도전할 것도— 전부 계산했다.

나쁘지 않은 운명이었다. 전설의 스파이가 남긴 마지막 계획.

그래서 티아는 목소리를 짜냈다.

"—당신, 내 목소리 들은 적 없어?"

롤랜드의 움직임이 우뚝 멈췄다.

우연이긴 했지만, 티아는 그의 앞에서 확실하게 목소리를 낸 적이 없었다. 줄곧 겁먹어서 제대로 대화도 못 했다. 그래서 그는 티아의 목소리를 모를 터다.

그것을 이용했다.

그의 약점은 알고 있었다. 방심하고 자만한다. 승리를 확신했을 때, 그는 커다란 빈틈을 보인다. 그렇기에 일단 구속을 풀어야 했다. 위험한 도박이어도.

"【멈춰.】"

홍로의 목소리를 냈다.

롤랜드는 확연하게 당황했다. 마침내 빈틈을 보였다.

그의 팔에서 벗어난 티아는 반대로 그의 얼굴을 잡고 육박했다. 키스할 듯한 거리에서 그의 얼굴을 안고 시선을 마주쳤다.

"코드 네임『몽어』— 매료해 부술 시간이야."

선언하고 티아는 그와 마주 보았다.

소망을 읽었다. 최고로 흉악한 암살자가 무엇을 품고 무엇을 추구했는지. 전부 자신의 뇌에 새겼다. 홍로가 찾아내 준 스킬로 그의 내부를 파헤쳤다.

"……읏, 이년이!"

몸의 경직을 뿌리치고 롤랜드가 티아를 밀쳤다.

창밖으로 떨어지지 않도록 티아는 벽으로 팔을 뻗어 몸을 지탱했다. 그리고 옆으로 몸을 돌려 그와 거리를 벌렸다.

티아의 윤기 흐르는 머리카락이 크게 나부꼈다.

"그랬구나……. 역시 당신은 홍로 씨가 죽을 때 같이 있었던 거네."

그의 마음을 읽고 받아들인 이미지는 홍로의 유언이었다.

역시 홍로는 그에게 강한 암시를 걸었다.

"……그게 뭐?"

롤랜드가 손을 우두둑거렸다.

"여기서 네가 죽는 미래는 변함없어. 나는 그저 죽일 뿐이야."

피부가 얼얼해지는 살기를 발산했다.

이 위압감은 티아를 몇 번이나 떨게 했다. 처음 만났을 때도, 감옥에서 만났을 때도 아무것도 못 했다. 동료에게 보호받기만 했다.

하지만 지금의 티아는 다르다. 가슴에서 뜨거운 불이 타오르고 있었다.

“죽여서 어쩌려고?”

잠깐이라도 롤랜드가 진짜 실력을 발휘하면 자신은 죽는다. 누구도 도와주지 않는다.

그런 상황에서 티아는 고아하게 웃었다.

“가르쳐 줄래? 나를 죽여서 어쩔 거야?”

“그야—.”

“아아, 보라개미에게 칭찬받으려고? 아주 중요하지. 벌 받지 않고 넘어가니까.”

“……!”

롤랜드의 얼굴이 빨개졌다. 정곡을 찔린 듯이.

티아는 입가에 손가락을 대고서 미소 지었다.

“멋진 주종 관계야. 『열심히 했으니까 때리지 마세요』라며 발이라도 핥아? 아아, 실제로 핥은 적도 있었어? 훌륭한 애견이네.”

“너. 아니, 네년…….”

손끝까지 붉게 물든 그의 주먹이 떨렸다.

“……배짱 한번 두둑하구나. 편하게 죽을 수 있으리라는 생각은 버려—.”

“줄곧 이상했는데, 어떻게 멋있는 척할 수 있는 거야? 선생님한테 순식간에 발린 잔챙이 주제에. 심지어 보라개미에게 아양 떠는 한심한 남자이기도 하면서.”

티아는 냉담한 눈으로 바라보았다.

"자각이 없는 것 같으니까 당신의 본질을 가르쳐 줄게."

그렇게 말하고 검지로 척 가리켰다. 한마디 한마디에 총알을 담듯 고했다.

"당신은 나르시시스트고, 거만하고, 약한 여자에게 뻐기는 걸 좋아하고, 윗사람에게는 알랑거리고, 변태 SM 플레이로 개처럼 조교당했고, 진짜 강자에게는 도저히 미치지 못하면서 자존심만큼은 높은, 잡몹 사냥을 조금 잘할 뿐인 허접한 꼴불견 얼간이 살인자야."

"시끄러워……."

"나를 죽이겠다고? 다시 한번 물을게. 그래서 어쩔 건데? 다시 보라개미의 애견으로 돌아가서 지루한 생활을 반복할 거야? 명령하는 대로 세계 각국에서 사람을 죽이는 재미없는 나날을 보낼 거구나. 그리고 반격당해서 죽겠지. 아하하! 그렇지? 왜냐하면 당신은 그다지 강하지 않으니까."

"시끄러워……. 나에 대해 뭘 안다고……."

"멍멍 짖어 대지 좀 마. 주인에게 거역할 의지도, 지루함을 받아들일 도량도 없는 개 주제에 나한테 구린 입 냄새 풍기지 마."

반론을 허락하지 않고 계속 조소했다.

롤랜드는 시뻘게진 채 떨고 있었다. 패닉에 빠진 것처럼 시선이 방황했다.

하지만 티아는 가차 없었다.

인격을 부정했다. 인생을 부정했다. 그의 존재를 부정했다.

보라개미의 지배를 부숴야 했다. 단순한 애정만으로는 깨부술 수 없다. 그와 정면으로 마주해야만 이룰 수 있었다.

하고 있는 짓은 폭력을 폭언으로 치환했을 뿐 보라개미와 똑같았다. 정신 능욕이다.

하지만 티아는 그저 상대를 굴복시키는 보라개미와 달랐다.

"그래서 가슴이 뛰었던 거지?"

확실하게 물었다.

"홍로 씨가— 전설적인 스파이가 클라우스라면 마음을 채워 줄 거라고 보증해서 운명을 느꼈던 거지? 라이벌이 나타났다며 기뻤지?"

"……."

"당신도 그런 자신을 바꾸고 싶어서 견딜 수가 없으면서."

그와 처음 만났을 때, 그는 지루하다며 탄식했었다. 자신을 저주하듯이.

보라개미의 지배에 질린 것은 그였다.

"올리비아 씨는 왜 살렸어?"

거듭 정보를 부딪쳤다.

그레테가 붙잡은, 메이드로 분했던 롤랜드의 제자다. 그녀도 감옥에 갇혀서 정보를 전부 실토했다. 그녀는 과거에 물장사하는 가게의 종업원이었다고 했다.

재미없는 나날에서 해방해 줬다— 그게 제자가 본 롤랜드와의 만남이었다.

"정말로 그저 쓸모있는 장기말이었으니까? 그녀의 처지에 공감했던 거 아니야? 자신과 겹쳐 보고 그녀를 해방시켜 주고 싶었던 거 아니야?"

"……윽."

"만약 당신이 공화국 편에 붙는다면 붙잡힌 올리비아 씨도 구할 수 있을 거야."

전신전령으로 마주했다.

지금까지 보고 들은 정보를 전부 읽어서 그를 설득했다.

가슴에 있는 것은 사명감이었다. 이것이야말로 자신에게 주어진 역할이라고 실감했다.

『적조차 구하는 영웅』이 되려다가 실패했었다. 물러 터진 마음을 이용당해 적의 도주를 방조하는 실수를 했다. 흠씬 두들겨 맞은 기분이었다.

자신은 틀렸었다. 스파이로서 적을 구하는 방법은 적을 못 본 척하는 것이 아니다.

—배신하게 만드는 것이다. 적을 자기편으로 만들어 버리면 된다!

상대를 부정하고, 마음을 끌어당기고, 매료한다. 그게 바로 『몽어』가 관철할 길이다.

"그렇더라도……."

이윽고 롤랜드는 괴롭게 말했다.

"……네가 뭘 할 수 있지?"

"당신을 해방할 수 있어. 마음을 읽을 수 있는 내가, 보라개미의 지배에서 도망칠 수 있게 해 줄게."

그의 마음에도 새겨져 있을 터다.

—흑발의 소녀 영웅이 자신을 구해 준다는 암시가.

그 욕구를 해방시키면 된다. 다른 누구도 아닌 사신이라면 할 수 있다.

"다른 말이 좋다면, 그래…… 뺏어 줄게."

티아는 롤랜드의 몸을 슬쩍 밀었다.

그는 의지를 잃은 것처럼 간단히 바닥에 엉덩방아를 찧었다. 멍한 얼굴로 티아를 올려다보았다.

티아는 침대에 앉아 신발을 벗었다.

"새로운 주인에게 무릎 꿇으렴."

드러난 하얀 맨발로 티아는 롤랜드의 턱을 쓸었다.

그의 입에서 뜨거운 한숨이 흘러나왔다.

"아름다운 주인님과 최고로 기분 좋은 일을 하자."

그 미소에 롤랜드가 함락되기까지 시간은 걸리지 않았다.

◇◇◇

웨스트포트 빌딩 8층의 옥상 정원—.

"한번 해 보고 싶었어. 《일개미》 토벌 스코어 어택."

롤랜드는 목에서 뚜두둑 소리를 내며 말했다.

"나도 아직 쓸 만한가 봐. 열두 명 다 깔끔하게 날려 버리고 왔어. 죽이지 않는다는 부분은 고전했지만. 타국의 첩보 기관과도 충분히 겨룰 수 있는 숫자야."

보라개미가 싸늘한 시선을 보내고 있었지만 롤랜드는 신경 쓰지 않았다. 원래 담대한 남자일 것이다. 그는 티아의 권총을 손으로 가지고 놀고 있었다.

"꼬맹이들을 구하고 왔어, 화톳불. 안심해도 돼."

난입자의 등장으로 《장군개미》가 일단 물러난 틈을 타 클라우스에게 친근하게 말했다.

클라우스는 석연치 않은 태도였다.

사실은 마음에 안 들 것이다. 하지만 감사하지 않을 수도 없었다.

두 사람을 바라보고 있으니 뒤에서 새로운 사람이 나타났다.

"여, 마침내 제대로 일을 하잖아."

모니카였다. 동료와 재회하여 티아는 가슴을 쓸어내렸다.

"다행이다. 살아 있었구나."

"멤버는 전원 무사해. 클라우스 씨가 릴리와 아네트를, 시체남이 지비아와 에르나를 구했어. 그리고—."

모니카는 담담히 이야기하다가 핏대를 세우더니 티아의 멱살을 잡았다.

"야, 나만 부담이 너무 크지 않아? 달려온 지원군이 변장한 그레테라니, 우습게 보는 거야? 울화통이 터질 뻔했거든?"

"아니, 하지만 살아 있잖아……."

"내가 엄청나게 힘냈으니까 산 거야!"

"그, 그리고, 이 배치는 그레테가 생각한……."

"지휘관은 너잖아."

어쨌든 보라개미의 유도로 세 곳에 동시에 찾아왔던 위기는 사상자 제로로 극복한 듯했다.

가장 불안했던 게 모니카와 사라였지만 그레테가 분투해 준 모양이다. 클라우스로 변장한 그레테가 상대를 잘 동요시키고 모니카가 적의 의표를 찔렀을 것이다.

그녀와 롤랜드 덕분에 전원이 살아남았다. 위기를 극복한 소녀들이 외부 계단에 모여 있었다. 타깃인 보라개미를 놓치지 않도록 도주로를 막고 있었다.

"아슬아슬하게 도망쳤을 뿐이야. 쓰러뜨리진 않았어. 내가 천재인 걸 감사히 여겨."

"으, 응, 그럴게."

"그리고 이 이상은 아무것도 못 해. 임무의 성패는—."

모니카는 시선을 돌렸다.

"저 두 사람에게 달렸어."

시선 끝에는 소녀들이 도달하지 못한 영역에 이른 두 스파이가 있었다.

『화톳불』 클라우스.

『담수』 롤랜드.

자신이 이끈 결과라고는 하지만 압권인 광경이었다. 티아 일행이 가담할 여지도 없었다.

"……롤랜드, 네가 부하를 구해 줘서 살았어. 감사를 표하지."

"응응? 좀 더 솔직하게 『고맙습니다』라고 말하는 게 어때? 내가 배신하지 않았으면 보라개미의 은신처에도 도달하지 못했잖아?"

"배신했을 뿐인 남자가 기고만장해지지 마."

두 사람은 너스레를 떨며 나란히 섰다.

그 앞에는 부하 아홉 명에게 둘러싸여 눈가를 실룩거리는 보라개미가 있었다. 언짢은 심정을 숨기지 않고 근처에 있는 《장군개미》 소년의 등에 손톱을 세우고 있었다.

"하지만."

클라우스가 입을 열었다.

"하나 말해 두겠는데, 너는—."

"아무 말도 하지 마."

롤랜드가 막았다.

"이건 매듭 같은 거야. 내 인생의."

"……?"

두 사람의 대화가 무슨 뜻인지 티아는 이해할 수 없었다.

클라우스도 그 이상 아무 말도 하지 않고 보라개미를 응시했다.

"…………."

서로의 카드를 재는 듯한 정적.

티아는 저도 모르게 숨을 멈추고 있었다. 긴장감을 버티지 못하고 빈혈이 일 것 같았지만 꾹 참았다.

옆에서는 모니카가 진지한 눈으로 상황을 보고 있었다. 한순간이라도 놓치지 않겠다는 기백이 있었다. 보고 배우려는 걸까. 순수한 전투로 한정한다면 지금 벌이지는 것은 스파이의 최고봉 싸움이다.

먼저 움직인 것은 보라개미였다.

슥 일어나 클라우스와 롤랜드 쪽으로 손을 들었다.

"【각위.】"

보라개미의 목소리가 울렸다.

"—【배신자를 제일 먼저 죽여.】"

《장군개미》 아홉 명이 일제히 움직이기 시작했다. 그들은 권총을 든 롤랜드에게 향했다.

무시당한 클라우스는 《장군개미》에게 발포했다. 총알이 아홉 명 중 두 명의 어깨를 뚫었다. 하지만 그들은 전혀 주춤하지 않고 흐트러짐 없이 연대했다. 부상당한 두 명도 롤랜드를 공격했다.

세검, 장검, 소총으로 가하는 연속 공격이 야윈 남자를 덮쳤다.

그도 티아에게 빌린 권총을 쐈다.

"어……?"

티아가 목소리를 흘렸다.

다음 순간, 아연해지는 광경을 보았다.

결론부터 말하자면— 롤랜드는 조금도 상대가 되지 않았다.

특기인 속사로 가장 먼저 달려든 남자에게 부상을 입혔으나 옆에서 세검으로 찌르는 여성에게 반응하지 못했다. 팔을 찔려서 주춤

하자 총알이 배를 뚫었다.

끝장을 내겠다는 것처럼 장검을 든 쌍둥이가 달려들어 양쪽 다리를 좌우 동시에 벴다.

"롤랜드, 씨……?"

보면 알 수 있었다. 중상이다.

온몸에서 피를 철철 흘리는 롤랜드를 걷어차고 《장군개미》는 다시 진형을 갖췄다.

티아는 황급히 달려갔지만 그는 이미 움직일 수 있는 상태가 아니었다. 특히 총알이 뚫은 복부의 상처가 심했다. 응급 처치를 했지만 살릴 수 있을지 알 수 없었다.

"왕을 거역한 자에게 걸맞은 말로예요."

보라개미의 냉혹한 목소리가 울렸다.

"그 남자 따위가 《장군개미》를 상대할 수 있을 리가 없잖아요?"

"……웃."

새삼 통감했다.

롤랜드 정도의 실력자도 순식간에 압도하는 실력이 있는 것이다. 싸울 수 있었던 클라우스가 이상한 거고, 설령 뛰어난 격투술을 가진 남자여도 당해 낼 수 없다.

맞설 수 있는 사람은 클라우스뿐—.

"인정하겠습니다. 이번에는 다소 계산이 틀어졌어요. 훌륭합니다. 하지만 상정했던 범위 내입니다. 내 승리는 흔들리지 않아요."

보라개미는 부상당한 《장군개미》에게 전기 충격기를 댔다.

비명이 울리며 살이 타는 냄새가 났다. 상처를 지진 것이다.

그런 난폭한 응급 처치를 순서대로 베풀고서 그는 즐겁게 해설을 계속했다.

"클라우스 군. 당신의 스승이 정보를 누설했고, 그 정보가 옳나는 건 거미 군이 확인해 줬어요. 설령 완전한 상태여도 당신은 《장군개미》에게 이길 수 없어요."

"……."

클라우스는 아무 말도 하지 않았다.

"왕은 반역자를 인정하지 않아요. 숨어 있는 애송이들까지 전부 죽이기로 하죠."

입을 다문 클라우스는 쓰러진 롤랜드를 보고 있었다. 티아가 열심히 치료하고 있지만 출혈은 멈추지 않았다.

이윽고 클라우스는 보라개미에게 시선을 돌렸다.

"하나 물어도 될까?"

똑바로 보라개미를 응시했다.

"나는 이 시체남을 싫어해. 설사 명령이었더라도 무관계한 자를 너무 많이 죽였어. 본인도 이런 말로를 각오하고서 너에게 맞섰지. 조금도 동정할 마음은 안 들어."

"네, 저도 그렇게 생각합니다."

"하지만 그래도 너의 동료였잖아?"

"노예 중 한 명이었습니다만?"

"그런가. 역시 철저하게 마음에 안 드는 상대야."

클라우스는 앞으로 걷기 시작했고, 그와 동시에 《장군개미》 아홉 명도 움직이기 시작했다.

티아가 말려들지 않도록 클라우스는 장소를 이동하는 것 같았다. 클라우스의 동요를 유발하기 위해서인지 《장군개미》 한 명이 티아를 저격했지만 모니카가 총알을 튕겼다.

상대도 이 이상의 견제는 소용없다고 깨달은 듯했다.

클라우스와 《장군개미》의 격전이 시작됐다.

다소 다쳤어도 《장군개미》의 연대는 흐트러지지 않았다. 세검과 장검의 콤비네이션, 그 사이로 날아오는 총격. 클라우스가 단검을 휘두르면 방어를 담당하는 자가 방패로 막았다.

롤랜드는 3초도 버티지 못했다.

그가 약해서가 아니다. 《장군개미》가 너무 강했다.

클라우스는 이미 1분 넘게 싸우고 있었다. 하지만 점점 숨이 가빠졌다. 여기 오기까지 《일개미》 일흔세 명을 연속으로 상대하며 피로가 쌓인 걸까.

조금씩— 조금씩이긴 했지만 클라우스가 밀리기 시작했다.

티아는 응원할 수밖에 없었다.

눈으로 성원을 보냈다. 시야 끄트머리에서 다른 소녀들도 이 싸움을 지켜보고 있었다. 주먹을 움켜쥐고 뜨거운 시선을 보냈다. 그녀들도 바라고 있을 터다. 자신들을 높은 경지로 이끈 교관의 승리를.

하지만 기도와는 반대로 클라우스가 크게 후퇴했다.

그 뺨에 피가 흐르고 있었다.

"몇 번이나 말했잖아요?"
보라개미가 고했다.
"당신의 정보는 알고 있어요."
"……윽."
클라우스가 피를 닦았다.
보라개미는 손가락을 튕겼다.
"설령 당신이 전력을 다하더라도 《장군개미》만큼은 쓰러뜨릴 수 없어요. ―【죽여.】"
그것이 최종 명령인가.
《장군개미》 아홉 명이 일제히 달려들었다. 사방팔방에서. 사격을 담당하는 자도, 방어를 담당하는 자도, 모든 인간이 공격으로 전환했다.
호흡은 딱딱 맞았다.
클라우스의 오른쪽에는 영거리에서 소총을 쏘려고 하는 노인. 정면에는 장검을 휘두르는 쌍둥이 소년. 왼쪽에는 방패로 때리려 드는 남성. 배후에는 세검으로 찌르려고 하는 여성. 그 틈을 메꾸듯 총검과 단검 등의 흉기가 클라우스를 포위했다.
"그런가. 그런데―."
목소리가 울렸다.
소녀들이 줄곧 들었던 말.

"―이 놀이에 언제까지 장단을 맞춰 주면 되지?"

《장군개미》의 공격을 전부 예상한 것처럼 종이 한 장 차이로 피하고— 발을 움직였다.

기체가 분출되는 소리가 났다. 그의 발밑에서 어떤 장치가 작동했다.

클라우스는 손수건으로 코와 입을 막았다.

《장군개미》들의 균형이 무너졌다. 호흡이 딱딱 맞는 연계— 그 말 그대로, 마치 아홉 명 전원이 동시에 호흡하여 기체를 마신 것처럼.

"독가스……."

보라개미가 멍하니 중얼거렸다.

"당신이 그런 걸 다룬다는 정보는 어디에도—."

본 적은 있었다.

줄곧 릴리가 썼던 독가스다. 릴리보다 완벽한 타이밍에 빈틈없이 사용된 마비독은 적의 움직임을 똑같이 둔화시켰다.

—직후 본 광경을 티아는 잊지 못할 것이다.

1초도 되지 않는 시간. 불과 콤마 몇 초 만에 일어난 일이었다.

세계 최강을 자부하는 남자가 보여 준 전력.

그가 발을 내디뎠다. 그리고 다음 순간에는 1미터쯤 이동했다.

《장군개미》 여섯 명이 날아갔다.

마치 보이지 않는 폭탄이 작렬한 듯 클라우스를 에워싼 인간이 종잇조각처럼 공중에 떠올랐다가 지면에 떨어졌다.

아아, 하고 오해를 깨달았다.

처음부터 그는 고전 따위 하지 않았다. 동료의 안부가 걱정됐던 것은 사실이리라. 실력이 떨어졌을지도 모른다. 하지만 그건 오차 범위였다. 그들을 쓰러뜨릴 계산 같은 건 진작에 끝나 있었다.

그는 그저 독가스를 분사할 타이밍을 재고 있었을 뿐이다.

약해진 것처럼 보인 것도 연기였다.

"착각을 지적해 두지."

클라우스의 목소리가 들렸다.

"스승님이 배신해서 내 정보가 유출된 건 맞아. ―하지만 그건 벌써 반년 전 얘기야. 그만큼 시간이 지나면 나도 성장 정도는 해."

"아, 아니……."

납득할 수 없다는 듯 보라개미가 말했다.

"……하지만 당신은 지난달에―."

"그래. 나는 흰거미를 놓쳤어. 그것도 틀림없고, 부정하지 않아. 하지만 변명을 하나 하자면 당시 나는 컨디션이 아주 안 좋았어. 500일 이상 연속으로 일한 탓에 말이야."

아니, 변명이 아니었다.

그의 상태가 안 좋다는 것은 그레테가 민감하게 알아차렸었다. 제국에서의 바이러스 병기 탈환 임무를 성공시키고, 직후 2주간의 휴가도 그는 임무에 써서 피폐해져 있었다. 그대로 쉬지 않고 『시체』 암살 임무를 수행했다. 게다가 그 후에도 실종된 소녀들을 수색하느라 분주했을 터다.

흰거미와 만났을 때, 분명 피로는 정점에 달한 상태였으리라.

"흰거미는 상태가 매우 나쁜 나를 보고서 반년 전의 정보가 정확하다고 오해했어."

클라우스는 고했다.

"안타깝지만 나는 반년 전보다도 훨씬 강해졌어."

다시 클라우스가 발을 내딛자 남은 《장군개미》 세 명이 날아갔다.

이동과 공격. 그저 그것뿐인 기술이지만, 클라우스의 속도가 너무 빨라서 보이지 않는 폭탄을 맞고 적이 날아가는 것처럼 보였다.

격이 다른 전투 기술. 세계 최강을 자부하는 힘. 그것이 클라우스의 본질—이라고 생각했었다.

티아는 막연하게 생각했다.

'선생님의 본질은『성장』……?'

감각만으로 온갖 기술을 습득하는 천부적인 재능.

전율했다.

'……우리는 모든 기술을 수없이 부딪쳤어. ……다양한 상황에서 공격을 시도하고, 열심히 계획을 짜서 도전했어. ……그러면서 **만약 선생님 자신도 단련이 됐다면?**'

물론 소녀들의 실력은 뛰어나다고는 할 수 없다. 하지만 소녀들에게는 누구에게도 지지 않는 특기가 있다. 그것을 구사한 습격은 결코 평범하지 않을 것이다.

언제 어디서나 습격받을 것을 상정한다.

어떤 수법의 힘정이든 예측한다.

그리고 그는 소녀들의 특기를 코앞에서 관찰했다.

—남다른 재능을 가진 자에게 그 나날은 얼마나 큰 의미를 가졌을까.

"그럼."

클라우스는 손을 털었다.

"각오는 됐나? 보라개미."

냉철한 눈빛을 보냈다.

이제 보라개미를 지키는 자는 없었다. 그가 명령을 거듭해도 일어나는 자는 없었다.

그리고 보라개미 자신이 일대일로 클라우스를 이기지 못하는 것은 명백했다.

승부가 났다.

도주로는 이미 소녀들이 없앴다. 수하가 없는 보라개미는 무서워할 존재가 못 되었다.

보라개미도 상황을 헤아린 듯했다. 뒷걸음질 치기 시작했지만 곧 여신상의 받침대에 등을 부딪쳤다. 얼굴에 땀이 줄줄 흐르고 있었다.

"살려, 주세요."

너무나도 한심한 목소리였다.

"적을 살리잖아요? 이 남자를 설득해 주세요."

티아에게 하는 말임을 알 수 있었다.

간청하는 듯한 한심한 표정이었다. 자신을 왕이라고 칭하던 남자 같지 않았다. 왕도 신하가 없으면 그저 사람인가.

"나도 구해야 할 상대와 그렇지 않은 상대가 있다는 건 알아."

티아는 분명하게 말했다.

답은 정해져 있었다. 이 남자는 구제할 길이 없다. 본성이 썩어 빠져서 개과천선할 가망이 전혀 없었다.

"당신은 재해와 같아. 적이라고 하기에는 너무 끔찍해."

클라우스가 보라개미에게 다가갔다. 가슴 주머니에서 총알을 꺼냈다. 홍로의 유품. 그는 그것을 단단히 움켜쥐고, 창백하게 질리는 보라개미와 거리를 좁혔다.

싸움의 결판에 티아는 고했다.

"—당신은 우리의 적조차 되지 못해."

클라우스가 홍로의 총알을 움켜쥔 주먹으로 보라개미의 안면을 후려쳤다.

상대는 비명조차 지르지 못하고 의식을 잃었다. 미타리오의 왕이 함락된 순간이었다.

에필로그 보스와 졸업

미타리오에서 수행한 임무의 뒤처리에 관해.

『등불』이 사력을 다한 결과는 만족할 만한 수준이었다. 하지만 희생도 있었다.

그 상실은 클라우스가 기절한 보라개미를 구속했을 때 찾아왔다.

살기가 생겨나며 밤의 어둠 속에서 총알이 날아왔다. 평범한 납탄이 아니었다. 라이플탄이었다. 아무리 클라우스가 대단해도 총알을 빗겨 나가게 하는 것이 고작이었다. 그리고 그 감각으로 떠오르는 존재가 있었다.

—스승인 기드를 죽인 저격수.

비밀을 지키기 위해서라면 동포를 죽이는 것도 서슴지 않는 스파이의 방식.

총알은 두 발 연속으로 날아왔다.

첫 번째 총알은 클라우스가 튕겼다. 모처럼 잡은 보라개미를 죽일 수는 없었다.

하지만 두 번째 총알은 생각지 못한 인물의 오른쪽 다리를 날려 버렸다.

"롤랜드 씨!"

보라개미와 싸우고 다친 그는 도망치지 못했다.

티아의 비명이 울렸다. 모니카가 그녀의 옷을 잡아 차폐물 뒤에 숨으라고 지시했다.

육안으로는 저격수의 모습이 보이지 않았다. 멀리 떨어진 곳에서 연달아 정확한 사격을 실현시킨 듯했다. 그 실력에 짚이는 사람이 있었다.

보라개미의 가슴 부근에서 버저가 울렸다. 무전기인 것 같았다.

클라우스가 그것을 귀에 대자 익숙한 목소리가 들렸다.

《진짜 질린다, 괴물.》

흰거미였다.『뱀』의 일원.

《설마 보라개미 형을 생포할 줄은 몰랐어. 너 진짜 뭐야.》

"너도 와 있었나. 지금부터 한 번 더 싸울까?"

《……그 호전적인 태도, 진짜 어떻게 좀 해. 그럴 마음 없어. 죽잖아, 내가.》

흰거미의 경박한 태도가 짜증 났다.

하지만 몰아붙이고 있는 것은 클라우스 쪽이었다.

"우리는 보라개미를 확보했어. 이 녀석한테서 정보를 캐내면 너희의 전모를 파악할 수 있어."

《보라개미 형은 실토하지 않아. 그런 약한 스파이가 아니야.》

"과연 어떨까?"

《뭐, 힘내. 네가 형을 상대하는 데 전념해 줘서 나는 편하게 움직일 수 있었으니까. 일단 이쪽의 목적도 달성했어. 형이 분투한 덕분이지.》

흰거미는 톨파 경제 회의에서 스파이 활동을 벌였던 모양이다.

그게 어떤 내용인지는 클라우스도 쫓지 못했다. 보라개미가 보내는《일개미》를 상대하는 데 시간을 뺏겼다.

《—이번에는 네가 이겼다고 하자.》

흰거미가 말했다.

《하지만 다음에는 죽일 거야. 너는 우리『뱀』에게 진짜로 방해돼. 정말로 죽일 거야. 힘으로 밀어붙이는 방식은 이제 안 써. 확실하게, 꼼꼼하게, 주도면밀하게 너를 함정에 빠뜨리겠어.》

"죽일 거다, 죽일 거다, 유치하군. 그 조무래기 같은 태도는 어떻게 안 되는 건가?"

《시끄러워, 내 개성이야.》

"……너희의 목적은 뭐지? 그저 제국에 봉사하는 스파이는 아니잖아?"

《왜 그렇게 생각해?》

"내 스승님이 그런 녀석들 편에 붙을 리가 없어."

무전기 너머에서 흰거미가 웃는 것이 전달되었다.

《보라개미 형한테 들어. 들을 수 있다면 말이야.》

"……."

《굳이 말하자면— 균형이야.》

무전이 끊어졌다. 찌르는 듯했던 살기가 사라졌다. 흰거미는 모습을 감춘 듯했다.

읽을 수 없는 상대였다. 잔챙이처럼 굴며 클라우스에게 두려움을 내비치고. 강하게 발언하는가 싶더니 의미심장한 대사와 함께 물러났다. 강한 건지 약한 건지 감이 오지 않았다. 그저 종잡을 수 없는 인상을 심을 뿐이었다.

"롤랜드 씨!"

저격수의 기척이 사라지자 사폐물 뒤에 숨어 있던 티아가 튀어나왔다.

롤랜드는 아직 살아 있는 것 같았다. 하지만 오른쪽 다리가 크게 손상됐고 얼굴은 새파랗게 질려 있었다. 눈은 공허하여 빛이 보이지 않았다.

소녀들이 롤랜드를 에워쌌다.

"나는……."

지비아가 그의 옆에 무릎을 꿇었다.

"이 녀석 덕분에 살았어. 에르나와 함께 죽을 뻔했을 때."

"……."

클라우스는 고요한 시선을 보냈다.

티아가 필사적으로 롤랜드를 살리려고 했다. 자신의 옷을 찢어서 지혈을 시도하고 있었다. 여전히 구하려는 것이다. 자신을 두 번이나 죽이려고 한 적을.

"티아."

클라우스가 불렀다.

"그만해. 이제 살릴 수 없어."

그레테가 티아의 손을 잡아 응급 처치를 멈추게 했다. 티아는 입술을 깨물고 손을 거둬들였다.

클라우스가 옆에 섰을 때, 롤랜드의 눈이 미미하게 움직였다.

"화톳불……."

이제 그 목소리는 알아듣기도 힘들었다.

클라우스는 「왜 부르지?」 하고 반문했다.

"하나 묻고 싶어. 나는, 너의 라이벌이 될 만했나?"

"……."

롤랜드가 바라는 답은 짐작이 갔다. 그리고 다른 소녀들도 자신이 그 말을 해 주기를 바라고 있다는 것은 이해했다.

하지만 클라우스는 그들의 기대와는 다른 대답을 했다.

"전혀 못 돼."

"……그런가."

"위로를 기대하지 마. 너의 소망은 아무것도 이루어지지 않아. 너는 지시받은 대로 살인을 되풀이했어. 이름도 남기지 못하고, 누구와도 특별한 관계를 쌓지 못하고, 명예 따위 없이 죽음을 맞이할 거다. 네가 지금껏 죽인 죄 없는 사람들을 생각하면 당연한 말로야."

그가 소녀들의 목숨을 구해 준 것은 사실이다. 하지만 그렇다고 모든 과거를 탕감해 줘도 되는 것은 아니었다. 용서할 수 있을 리도 없다.

다만, 하고 클라우스는 덧붙였다.

"그런 너라도, 지금 우리가 지켜보는 가운데 떠나는 정도의 행복은 얻어야 한다고 생각해."

"……그런가. 그게 좋겠지. 그저 한순간, 우스꽝스러운 한때일지도 모르지만, 너와 함께 싸울 수 있었던 시간은, 나쁘지 않았어."

롤랜드는 허공을 향해 손을 뻗었다.

"……티아…… 나를 구해 줘서, 고마워……."

힘없이 뻗은 손을 티아가 양손으로 잡았다.

그녀가 잡은 순간 손에서 힘이 사라지며 롤랜드는 숨을 거뒀다.

클라우스는 묵도를 올렸다.

원래는 좀 더 비참하게 죽었어야 할 남자다. 그럴 만한 죄를 저질렀다. 빛이 들지 않는 감옥에서 고문 끝에 목숨을 잃거나. 혹은 보라개미의 명령으로 자살하거나— 그것이 스파이로서 그가 다다를 말로였을 터다.

그렇다면 이 종언은 해피엔딩이라고 할 수 있을까.

그레테가 단검으로 그의 옷깃을 살며시 잘랐다. 유품으로 챙겼을 것이다. 딘 공화국의 감옥에는 여전히 롤랜드를 연인으로 생각하는 여성이 수감되어 있었다.

아네트가 그의 몸에 가솔린을 부었고 티아가 불을 붙였다.

"잘 가, 롤랜드 씨."

활활 타오른 불이 시신을 태우는 모습을 멤버들은 지켜보았다.

◇◇◇

미타리오에서 격전을 벌이고 불과 두 시간 후, 클라우스는 부두에 서 있었다. 무자이아 합중국과 다른 대륙을 잇는 현관. 심야여도 여객선과 화물선이 끊임없이 항구를 드나들었다.

그의 옆에는 거대한 악기 케이스가 놓여 있었다. 원래는 첼로를 넣는 케이스였다. 하지만 지금 수납되어 있는 것은 혼절한 보라개미였다.

어떤 약속이 있었다.

심야 3시, 기다리던 인물이 찾아왔다.

둥근 안경을 쓴 흑인 남성이었다. 어째선지 종교가 같은 신부복을 입고 있었다. 머리 대부분이 백발이라 나이를 대충 짐작할 수 있었다.

그는 작게 「여기서 뭐 하십니까?」라고 물었고, 클라우스는 「설탕과자」라고 짧게 대답했다. 맞물리지 않는 대화는 본인 확인을 위한 암호였다.

"……당신이 『화톳불』이군요."

그가 고개를 끄덕였다.

"저는 JJJ의 심부름꾼입니다. 음, 『교정(커렉트)』이라고 불러 주십시오."

"그렇군, 커렉트."

"당신의 소문은 예전부터 들었습니다. 딘 공화국에서 가장 우수한 스파이라지요."

"스파이가 사람들 입에 오르다니 나쁜 농담이지만 말이지."

그렇게 대답하자 커렉트는 소리 죽여 웃었다.

JJJ는 무자이아 합중국의 정보기관이다. 광대한 합중국의 첩보와 방첩을 도맡고 있었다. 표면적으로는 가르가드 제국을 감시하기 위해 딘 공화국의 대외정보실과 협력 관계였다.

"『보라개미』라고 했지요."

커렉트가 본론을 꺼냈다.

"JJJ에서도 조사하던 일입니다. 미타리오에서 반복되던 스파이 살해의 흑막. 저희의 동료도 꽤 죽었어요. 훌륭합니다."

"그래, 『뱀』이라는 제국 첩보 기관의 멤버인 것 같아. 들은 적 있나?"

"처음 듣는군요. 뭐 하는 자일까요?"

커렉트는 안경을 치켜올렸다.

"그 『보라개미』의 신병을 저희가 확보해도 될까요?"

"……당연히 대가는 비싸."

"조건은?"

"JJJ가 아는 『뱀』의 모든 정보. 처음 듣는다고 거짓말하지 마."

커렉트는 어깨를 으쓱였다.

"네, 알겠습니다. JJJ도 대외정보실과는 양호한 관계를 구축하고 싶습니다."

그 말에 거짓이 없다는 것은 직감적으로 알 수 있었다.

보라개미의 신병을 넘겼다.

솔직히 말하자면 갈등은 있었다. 『보라개미』는 귀중한 정보원이다. 하지만 그가 쉽사리 정보를 실토하지는 않을 테고, 이국땅에서 신병을 이송하고 장기간 수감하는 것은 너무 위험했다. 합중국의 첩보 기관에 넘겨서 환심을 사는 것이 최선이리라.

고문할 때 입회하는 것을 포함하여 몇 가지 조건을 더 인정받았다.

"그런데."

마지막에 커렉트가 말했다.

"듣자 하니 당신의 상사도 이 땅에 왔었다고 하던데요?"

"글쎄, 나는 따로 행동했던지라."

미타리오에서 홍로가 활동했던 것은 클라우스도 처음 들었다. 그녀도 톨파 경제 회의에서 공작을 벌였던 걸까. 상사에게는 바이러스 병기 탈환에 관여하고 있다고 들었었는데.

커렉트는 고개를 가로저었다.

"이것 참, 『뱀』도 그렇고, 이 세계에서 무슨 일이 벌어지고 있는 건지."

그는 악기 케이스를 들고서 한숨과 함께 떠났다.

◇◇◇

격전을 끝내고 사흘 후, 소녀들은 티아와 그레테가 지내는 아파트에 모여 있었다.

릴리가 버릇없이 테이블 위에 서서 창밖을 척 가리키며 큰 목소리로 선언했다.

"관광이에요오오오오오오오오오오오오!"

""""""오오오오오오오오오오오오!""""""

보라개미와의 격전을 끝낸 소녀들은 환호성을 질렀다.

「전환이 빠르네요……」 하고 사라가 어이없다는 표정을 지었다.

임무 자체는 보라개미를 구속한 시점에 종료지만 처리할 일은 많았다.

특히 보라개미에게 고통받았던 《일개미》의 정신 케어는 티아가 솔선해서 행했다. 사건을 덮는 것은 클라우스가 JJJ라는 합중국의 첩보 기관과 교섭해 줬지만 소녀들도 일부는 도와야 했다.

보라개미가 《일개미》를 잠입시켰던 관계자는 JJJ의 협력으로 단숨에 알아낼 수 있었다. 이중 어딘가에 『뱀』의 목적도 있을 것이다. 정보에 대한 자세한 조사는 귀국 후에 하면 된다고 판단했다.

그렇게 사후 처리를 끝내고 날이 밝은 아침이었다.

「일류 스파이는 쉴 때도 전력이에요」라고 릴리가 코멘트했다.

임무도 끝났으니 염원하던 관광을 하자며 소녀들은 들끓었다.

그런 방에 노크 소리가 울리고 클라우스가 얼굴을 내밀었다.

"아니, 관광할 여유는 없어. 지금 당장 돌아간다."

"어째서?!"

릴리가 눈을 부릅떴다.

클라우스는 어떤 봉투를 내밀었다.

"JJJ와 조정하여 내일 경찰에서 이런 내용을 발표하기로 했어."

소녀들은 「응?」 하며 고개를 갸웃하고 봉투를 열었다.

그리고 안에 든 요약을 보고 일제히 「우와……」 하고 말했다.

【리릴린 헵번. 신원 불명. 웨스트포트 빌딩 1층의 햄버거 가게에서 일하던 웨이트리스. 살인 용의를 추궁당하자 권총을 떨어뜨리

고 도주. 거리에 폭탄을 설치, 경찰을 농락한 후 웨스트포트 빌딩 옥상 정원에서 분신자살.

의문사 열여섯 건에 관여했을 것으로 의심됨.】

“제가 엄청난 악인이 됐는데요?!”

릴리가 비명을 질렀다.

『리릴린 헵번』은 그녀가 합중국에서 쓰던 가명이었다.

“의문사 열여섯 건에 관여했다는 건 뭔가요?!”

“보라개미가 반년간 벌인 살인, 네가 쓴 누명, 그리고 너와 아네트가 벌인 소동, 이것들을 혼란 없이 처리하는 방법으로 JJJ와 이야기한 거야.”

“너무 억지예요!”

“오늘 중으로 출국할 거다. 내일이면 너는 죽은 게 될 테니까.”

이리하여 관광은 물 건너가고 즉각 귀국이 결정되었다.

그 후 미타리오 경찰이 발표한 내용은 크게 화제가 되었다. 릴리와는 전혀 안 닮은 몽타주가 텔레비전 뉴스로 보도되어 합중국 전토를 뒤흔들었다.

대중이 아는 것은 리릴린이라는 악녀가 미타리오에서 경찰과 난투극을 벌이고 웨스트포트 빌딩에서 죽었다는 보도뿐이었다. 이 일은「대악녀 리릴린」이라는 이명과 함께 전설이 되지만, 이제 릴리와는 무관계한 일이었다.

—보라개미라는 존재는 어둠 속에 매장된다.

◇◇◇

릴리의 주도하에 귀국하는 페리에서 사치하자는 방침으로 전환하여 멤버들은 일등 객실을 예약했다. 일주일간의 긴 선박 여행이었다.

객실에 들어간 순간, 그녀들은 침대로 폴짝 뛰어 서로에게 베개를 던지기 시작했다. 최종적으로 에르나를 이불 속에 묻는 종목으로 변경하여 에르나 주위에 침구를 쌓아 올렸다. 완성된 여신상 같은 오브제는 「부자유의 에르나」라고 명명했다.

그런 야단법석을 바라보던 클라우스는 소녀가 한 명 없다는 것을 알아차렸다.

페리 안을 걸어 그녀의 모습을 찾았다. 도중에 매점을 발견해서 팝콘을 구입했다.

갑판까지 올라가니 푸른 하늘 아래에 선 소녀가 있었다.

티아였다. 풍경을 바라보고 있는 것 같았다.

페리가 출항하여 미타리오의 빌딩들이 점차 작아졌다. 거리 한복판에 있었을 때는 건물의 높이에 압도됐었는데 이제는 모형처럼 보였다.

불어오는 바람에 그녀의 머리카락이 나부꼈다.

"티아."

뒤에서 불렀다.

"선생님……."

"왜 혼자 나와 있지? 싸운 건 아닐 테고."

클라우스는 티아 옆에 나란히 섰다.

페리를 따라 갈매기가 날고 있었다. 클라우스가 팝콘을 던지자 갈매기들은 솜씨 좋게 공중에서 낚아채 날아갔다.

「나도 해도 돼?」 하고 물었기에 티아에게도 팝콘을 줬다. 하지만 그녀는 잘 던지지 못했다. 손재주가 없는 걸지도 모른다.

클라우스가 온화하게 눈을 접었다.

"이번에는 대활약이었군. 네가 롤랜드의 배신을 이끌었기에 보라개미에게 도달할 수 있었어."

"모두가 노력한 덕이야. 목숨 걸고 정보를 모아 준 성과야."

"그럼 왜 혼자 있지? 감상에 잠기고 싶었던 거라면 나도 방해인가?"

물어보자 그녀는 작게 고개를 가로저었다.

"잠깐 생각 좀 하고 있었어. 오히려 선생님이 있는 편이 나아."

"무슨 생각?"

"홍로 씨는 어떤 스파이였어? 그게 신경 쓰여서……."

그래서 미타리오의 빌딩들을 바라보고 있었나 보다. 위대한 스파이가 죽은 도시였다.

클라우스는 바로 대답할 수 없었다.

"활활 타는 불꽃 같은 사람이었어. 때로는 따뜻하고, 때로는 적을 태워 버리고…… 음, 미안하지만 내가 설명하면 아무래도 추상적인 말이 되어 버려."

한마디로 표현할 말을 찾을 수 없었다.

자신의 서툰 설명에 넌더리가 났다.

“길어질 텐데 상관없나? 내가 설명하는 것보다 보스와의 에피소드를 이야기하는 편이 좋겠지. 어차피 긴 항해야.”

“응, 부탁할게. 그 사람에 관한 얘기라면 몇 시간이든 듣고 싶어.”

티아는 부드럽게 웃었다.

그리고 멋진 아이디어를 떠올렸다는 듯 눈을 반짝였다.

“응, 이왕 이렇게 된 거 하룻밤에 하나씩 들을까? 아주 느낌 있게 가는 거야. 밤에 나랑 그레테가 쓰는 방으로 오면 침대에서 뒤엉켜서—.”

“너는 질리지도 않는군.”

클라우스는 이마를 짚었다.

“말해 두는데, 성적인 얘기를 불편하게 여기는 남성도 있어.”

“윽…… 완전히 똑같은 말을 모니카한테도 들었어.”

“동료의 충고에 따라.”

“최근 사라랑 지비아가 『티아의 조언을 듣지 말라고 그레테를 설득하는 모임』을 결성한 거, 선생님이 손쓴 거야?”

“그 녀석들의 자주적인 자선 활동이야.”

클라우스가 모르는 곳에서도 그녀는 문제가 되고 있는 모양이다. 그녀의 입장을 생각하면 좀 더 상식인처럼 굴었으면 하지만, 지나친 바람일까.

티아는 어깨를 축 떨궜다.

"정말…… 선생님이야말로 나한테 상냥하게 대해 주는 게 어때? 우리는 일련탁생이니까."

"일련탁생? 어째서?"

"당연한 거 아니야? 우리는 『뱀』에 원한이 있는 두 사람이잖아?"

의기양양하게 고하는 티아의 말을 클라우스는 부정하지 않았다.

실제로 『뱀』과 직접적인 인연이 있는 사람은 『등불』에 거의 없었다. 나라를 지키는 스파이라는 입장상 무관하지는 않지만, 은인을 살해당했다는 동기가 있는 것은 두 사람뿐이었다.

"이제 혼자 끌어안지 마. 『뱀』과 관련된 일은 나도 도울게."

티아는 클라우스를 향해 손을 내밀었다.

"최고의 파트너가 되자."

"……."

클라우스는 의외라고 생각했다.

지금까지 티아는 이상은 높지만 그 이상 때문에 헛도는 측면이 강했다. 이상과 현실의 차이에 고민하며 다른 동료들에게 휘둘리기만 했었다.

하지만 지금, 그녀는 분명한 행동을 말하며 클라우스에게 호소하고 있었다.

"……이번에 가장 성장한 사람은 너군."

"으, 응? 그런가? 개인적으로는 실감이 안 드는데—."

"—극상이야."

클라우스는 티아의 손을 맞잡았다.

"너의 의지를 존중하겠어. 둘이서 『뱀』을 밝혀내자."

"응, 잘 부탁해."

티아가 손에 힘을 줬다.

두 사람은 맞잡은 손을 가볍게 흔들었다.

그리고서 티아는 얼굴을 붉히더니 「그, 그레테가 오해하면 안 되니까」라며 손을 뗐다.

"함께 행동한다고 해도 너무 딱 달라붙지는 않을게."

"그래. 나도 그럴 마음은—."

"응, 내게는 멤버의 사랑을 보조할 사명이 있으니까! 그레테뿐만이 아니야. 그 외에도 선생님에게 반한 아이가 나타나면 연애 마스터로서 조언을—."

"그 사명은 지금 당장 내다 버려."

진심으로 싫다는 듯 클라우스가 못을 박아서 티아는 웃었다.

그대로 두 사람은 평온한 대화를 나눴다. 다행히 주위에 사람은 없었고 도청당하는 것 같지도 않았다. 클라우스가 본 『화염』의 멤버에 관해 마음껏 이야기했다.

보스 『홍로』. 넘버투이자 클라우스의 스승인 『거광』 기드. 격렬한 노파 저격수 『포락(炮烙)』 게르데. 게임과 도박을 좋아하던 쾌활한 형제 『매연(煤煙)』 루카스와 『작골(灼骨)』 빌레. 관능 소설가를 겸업하던 독설가 누님 『선혹(煽惑)』 하이디.

지금은 없는 멤버를 이야기하고 있으니 티아가 문득 생각난 것처럼 말했다.

"그러고 보니 결국 그 약속은 이루지 못했네……."

"약속?"

"응, 홍로 씨가 약속했었어. 재회하면 멋진 선물을 주겠다고. 꽤 기대했었는데."

결국 티아와 홍로는 재회하지 못해서 선물도 받지 못했다.

"……."

클라우스는 입가에 손을 대고 생각했다.

"어? 선생님 왜 그래?"

"아니, 용의주도한 보스라면 생전에 준비해 뒀을 것 같아서. 원래부터 언제 죽을지 알 수 없는 직업이니까."

"짚이는 게 있어?"

"아니, 아무것도 없어. 사후 아지랑이 팰리스에 있는 보스의 소지품은 확인했어. 하지만 그럴듯한 물건은……."

기억을 더듬으며 침묵했지만 답은 전혀 나오지 않았다.

티아는 쓴웃음을 지었다.

"어쩌면 선생님도 모르는 곳에 숨겼을지도 몰라."

"……맞아. 보스라면 소중한 물건을 바닥에 숨기는 것 정도는 아무렇지도 않게 했겠지."

"응. 그럼 다음에 벽이라도 뜯어 볼까?"

"하지 마. 적어도 다시 한번 보스의 방을 찾아보고 나서—."

클라우스가 말을 멈췄다.

티아도 동시에 눈을 크게 떴다.

생각해 냈다. 한 달 전에 일어났던 트러블을—.

""지금 그 방은—.""

두 사람은 동시에 신음했다.

페리가 공화국에 도착했을 때, 클라우스와 티아는 다른 동료들보다 먼저 아지랑이 팰리스로 돌아갔다. 그리고 2층 중앙에 있는, 다른 방보다 조금 넓은 침실로 향했다.

한 달 만에 봤지만 참상에 변화는 없었다.

아네트의 폭탄이 터져 훌륭하게 날아간 릴리의 방이었다. 벽은 아직 방수 시트로 덮여 있을 뿐 수선이 되어 있지 않았다. 여전히 탄 자국과 금이 남아 있었다.

클라우스는 반파된 벽을 만져 보고 약해진 곳을 단검으로 부쉈다. 티아도 바닥의 깨진 부분을 확인해 나갔다.

"찾았다."

먼저 발견한 사람은 클라우스였다.

벽에서 작은 철제 상자가 나왔다. 아네트가 방을 부수지 않았다면 찾지 못했을 것이다. 예상치 못한 기적이었다.

"티아, 열어 봐. 틀림없이 너에게 주는 선물일 거야."

"응……."

티아는 상자를 받고 숨을 삼켰다.

—홍로가 남긴 최후의 선물.

긴장으로 떨리는 손을 움직여 티아는 신중히 상자를 열었다.

안에 들어 있던 것은 기묘한 막대였다. 길쭉한 놋쇠 막대가 올록볼록 파여 있었다. 생전 처음 보는 물건이지만 비슷한 것은 알고 있었다.

"……열쇠?"

본 적 없는 형상이지만 분명 열쇠일 것이다.

클라우스에게 보여 줬지만 그도 고개를 갸웃했다. 그도 용도를 모르는 열쇠인 듯했다.

상자 바닥에 메시지 카드가 있었다.

—나를 뛰어넘을 소녀에게.

짧은 문장이었다. 하지만 충분한 내용이었다.

티아의 눈시울이 확 뜨거워졌다.

그녀들은 재회하지 못했다. 홍로의 뜻은 꺾였고, 티아도 그녀와 함께 살고 싶다는 꿈을 이루지 못했다. 두 사람의 관계는 궁극적으로 배드엔딩이었다.

하지만 그래도 홍로는 많은 것을 남겨 줬다.

"선생님……."

티아는 떨리는 목소리로 물었다.

"나중에 또 부탁 안 할 테니까, 잠시만 품을 빌려줄래……?"

클라우스는 아무 말도 하지 않고 티아의 머리를 살며시 쓰다듬었다. 그리고 흐느끼는 그녀 곁에 계속 있어 줬다.

◇◇◇

티아가 울음을 그쳤을 무렵, 다른 멤버들도 속속 귀가했다.

그녀들은 자연스럽게 클라우스와 티아가 있는 반파된 방에 모였다. 그리고 눈가가 빨갛게 부은 티아를 의아하게 보고서 뭔가를 헤아린 듯 등을 두드렸다.

전원이 모두 모이자 릴리가 짝 손뼉을 쳤다.

"자! 커다란 임무가 끝났으니 제 방을 수리해요!"

뒤로 밀어 뒀던 작업이었다.

역시 이렇게나 망가진 방을 소녀들끼리 수선할 수는 없었기에 업자를 불러야 했다. 비밀을 엄수하는 이쪽 업계 사람들로.

겸사겸사 개조하고 싶다고 떠드는 릴리에게 티아가 말했다.

"릴리, 부탁할게. 이 기회에 나랑 방을 교환하지 않을래?"

"네? 교환이요?"

"홍로 씨의 방을 물려받고 싶어. 응? 지금이라면 오늘 당장 교환할 수 있어."

티아는 고개를 기울이며 응석 부리듯 웃었다.

이에 릴리가 눈썹을 찌푸렸다.

"음…… 마음은 이해하지만, 이 방은 조금 넓고 햇볕도 잘 들어서."

"역헌팅 테크닉을 가르쳐 줄게."

"어째서 그게 교섭 재료가 된다고 생각한 건가요?!"

방을 놓고 릴리와 티아가 옥신각신하기 시작했다.

그러자 그레테가 「……아뇨」 하고 말했다.

"역시 홍로 씨의 방은 보스가 물려받는 게 도리이지 않을까요……?"

소녀들의 시선이 일제히 클라우스에게 향했다.

그는 『화염』 시절에 쓰던 방을 여전히 쓰고 있었다. 빈말로도 편의성이 좋다고는 할 수 없는 구석방이었다.

클라우스는 고개를 가로저었다.

「그리고 나를 보스라고 부르지 마」라며 늘 하는 말을 내뱉었다.

그레테가 「보스」라고 부를 때마다 클라우스는 계속 부정했다. 그에게 「보스」라고 불러야 할 존재는 홍로뿐이었다. 『등불』로서 모인 이후로 그는 「보스」라는 호칭을 계속 피했다. 홍로의 방을 물려받지 않는 것도 같은 이유였다.

하지만 이번만큼은 그레테도 완고했다.

"……아니요. 이제 보스는 이 팀의 보스입니다."

"음……."

클라우스는 바로 반박하지 못했다.

괜찮은 대답을 못 하고 있으니 아네트가 「형님! 나님도 그렇게 생각해요!」라며 웃었고 에르나도 「응」 하고 동의했다.

지비아가 즐겁게 클라우스의 팔을 찔렀다.

"좋잖아. 우리가 졸업이라면 당신도 그 어중간한 입장에서 졸업해."

—졸업.

임무를 수행하기 전에 클라우스가 소녀들에게 한 말이었다. 이 임무를 달성하면 너희는 어엿한 스파이라고.

그녀들은 가혹한 임무를 달성하고 성장한 모습을 보여 줬다. 아직 서툰 부분은 많지만 양성 학교를 졸업할 수준에는 도달했다. 상상을 뛰어넘는 속도로 그녀들은 성장했다.

그리고 또 한 걸음 다음 스테이지로 나아간다.

『뱀』과의 싸움은 더욱 가혹해지리라. 아니, 적은 『뱀』뿐만이 아닐지도 모른다. 다른 강대한 적과 맞서기도 할 것이다.

그렇다면— 자신도 각오해야 할 때인가.

자신의 보스는 이미 죽었다. 지금은 자신이 그녀들을 이끄는 입장이었다.

"그렇군— 나는 『등불』의 보스야."

클라우스는 당당히 대답했다.

스파이이자, 선생이자, 소녀들의 보스다.

릴리가 「뭐, 저는 『선생님』이라는 호칭이 익숙해져서 계속 그렇게 부를 거지만요」라며 웃었고, 모니카가 으스대며 「슬슬 자각해 줘서 다행이야. 클라우스 씨」라고 말했다. 지비아가 「그래. 잘 부탁해, 보스」라며 부끄러운 듯 말했고, 그레테가 「마침내 제 소원이 이루어졌어요…… 보스」라며 고개를 끄덕였다. 사라가 「다, 다시금 잘 부탁드립다. 보, 보스」라며 머리를 숙였고, 아네트는 「나님, 형님은 형님이라고 생각해요!」라고 말했고, 에르나는 「응. 선생님은 선생님이야」라며 동의했다.

마지막으로 티아가 「내 파트너로서 기대할게. 선생님」이라며 미소 지었다.

"결국 호칭이 제각각이잖아."

호칭을 바꾼 사람은 지비아와 사라뿐이었다. 물론 마음대로 불러도 상관없지만.

그러나 매듭으로서는 충분할 것이다.

클라우스는 「─극상이야」라고 중얼거렸다. 나쁘지 않은 기분이었다.

싸움은 다음 스테이지로 넘어간다.

■작가 후기

4권 후기에서 할 말은 아니지만, 3권을 집필할 때 있었던 일을 이야기하고 싶습니다.

사실 『스파이 교실』은 처음 시리즈를 시작했을 때부터 4권에서 일단락을 지을 생각이었습니다. 1권에서 가볍게 여덟 소녀를 내보이고, 2권과 3권에서 네 명씩 캐릭터를 파고들고, 4권에서 다시 집결하여 깔끔하게 임무를 소화하는— 그런 이미지였습니다.

하지만 4권의 메인이 될 소녀는 마지막까지 고민했습니다. 엄청나게 머리를 싸맸습니다.

원래 티아를 상정했었지만 점차 「역시 이 아이로 해야 할까?」 싶은 대항마가 나타났거든요.

바로 에르나입니다.

무엇보다 걸맞지 않나요? 1권에서 활약하는데 여러 사정으로 일러스트가 적고, 2020년 12월 현재 굿즈화조차 되지 않은 소녀! 기념비적인 퍼스트 스테이지 완결인 4권에 메인으로 두둥 나서야 하잖아요! (솔직히 불쌍해요)

하지만 3권을 집필하면서 알아차렸습니다.

"응!" "응!" "응?" "응!" "불행……." "응?!"

바로 깨달았습니다.

'아, 이 아이가 아니야…….'

정말 좋아하는 캐릭터지만, 이 아이가 빛나는 스토리는 따로 있을 것 같습니다. 에르나가 메인인 이야기는 조금 더 기다려 주세요. 그런고로 4권은 티아가 메인이었습니다.

그럼 보고를— 스파이 교실 4권이 발매될 즈음에 세우카나메 선생님이 그리신 만화판 1권도 발매됩니다. 소녀들이 시끌벅적 떠드는 장면은 만화로 표현하니 돋보이네요. 문장으로는 다 묘사하지 못하는 매력이 가득합니다! (특히 아네트와 에르나는 정말로 귀여워요)

각본도 제가 새로 썼습니다. 만화판 1권 후반부터 오리지널 전개가 팍팍 진행됩니다. 세우카나메 선생님의 다대한 조력을 얻어, 만화이기에 가능한 연출이 되었기를 바랍니다. 거의 선생님이 다 하신 거지만요. 5장, 진짜 좋아요.

마지막으로 예고입니다. 다음 권부터 『스파이 교실』 세컨드 시즌입니다. 멋지네요. 그 내용은 원래 권말에 『NEXT MISSION』으로 썼는데, 좀 과하게 자극적이라 여운이 사라진다는 이유로 없앴습니다. 꽤 세게 나갔어요.

상당히 가혹한 싸움이 되겠지만 기대해 주세요. 키워드는 「약자」입니다. 그럼 이만.

타케마치

스파이 교실 4
《몽어》의 티아

초판 1쇄 발행 2021년 10월 20일

지은이_ Takemachi
일러스트_ Tomari
옮긴이_ 송재희

발행인_ 신현호
편집부장_ 윤영천
편집진행_ 김기준 · 김승신 · 원현선 · 권세라
편집디자인_ 양우연
관리 · 영업_ 김민원 · 조인희

펴낸곳_ (주)디앤씨미디어
등록_ 2002년 4월 25일 제20-260호
주소_ 서울시 구로구 디지털로 26길 111 JnK디지털타워 503호
전화_ 02-333-2513(대표)
팩시밀리_ 02-333-2514
이메일_ lnovelpiya@naver.com
L노벨 공식 카페_ http://cafe.naver.com/lnovel11

SPY KYOSHITSU Vol.4 《YUMEGATARI》 NO TEIA

ISBN 979-11-278-6239-8 04830
ISBN 979-11-278-5816-2 (세트)

값 10,000원

©Rui Tsukiyo, Reia 2020
KADOKAWA CORPORATION

세계 최고의 암살자, 이세계 귀족으로 전생하다 1~5권

츠키요 루이 지음 | 레이아 일러스트 | 송재희 옮김

세계 제일의 암살자가 암살 귀족의 장남으로 전생했다.
그가 이세계에서 맡은 임무는 단 하나.
【인류에게 재앙을 가져온다고 예언된 《용사》를 죽이는 것】.
그 고귀한 임무를 완수하기 위해 암살자는 아름다운 종자들과 함께
이세계에서 암약한다.
현대에서 온갖 암살을 가능케 했던 폭넓은 지식과 경험,
그리고 이세계 최강이라고 칭송받는 암살자 일족의 비술과 마법.
그 모든 것이 상승효과를 낳아 그는 역사상 견줄 자가 없는 암살자로
성장해 나간다.
"재밌군. 설마 다시 태어나서도 암살하게 될 줄이야."

전생한 「전설의 암살자」가 한계를 돌파하는
어쌔신즈 판타지!!